Barbara Wendelken hat bereits zahlreiche Kinderbücher u.a. im Boje
Verlag und im Wolfgang Mann Verlag veröffentlicht.
Am Anfang stand ein Mord ist ihr erster Kriminalroman.

Originalausgabe Juni 1996
Copyright © 1996 Droemersche Verlagsanstalt
Th. Knaur Nachf., München

Umschlaggestaltung: Agentur ZERO, München
Umschlagillustration: Cornelia Niere, München
Satz: Ventura Publisher im Verlag
Druck und Bindung: Clausen & Bosse, Leck
Printed in Germany
ISBN 3-426-67090-9

5   4   3   2   1

Barbara Wendelken

Am Anfang
stand ein Mord

Krimi

Für Rino, der lange vor mir
an dieses Buch geglaubt hat.

Dienstag

Am Anfang geschieht ein Mord.

Regen. Seit Wochen nichts als Regen. Es trieft und tropft unablässig, bläulich schwarze Wolken, prall und vollgesogen wie Schwämme, berstend vor Feuchtigkeit, hängen so tief wie nie zuvor. Als bräuchte man nur eine Hand zu heben, um sie zu berühren und damit einen erneuten Schauer auszulösen. Die Welt droht abzusaufen. Irgendwo erhängt sich ein alter Mann in seiner Wohnung, weil er die Einsamkeit nicht länger ertragen kann; er hinterläßt nicht mal einen Abschiedsbrief, für wen denn auch. Ein paar Straßen weiter schlitzt sich eine Siebzehnjährige die Pulsadern auf, weil ihr Freund sie wegen einer anderen verlassen hat. Eine Mutter schlägt mit dem Kochlöffel auf ihre Kinder ein, blindlings prügelt sie drauflos, bis der Löffel mit trockenem Knacken zerbricht; abends erinnert sie sich nicht mehr an den Grund für ihren Ausbruch. Ein Mann zertrümmert die Wohnungseinrichtung, schlägt alles kurz und klein, nur weil ihm die Bohnensuppe nicht schmeckt. Ein anderer, der vor der grünen Ampel den Motor seines Wagens abwürgt, wird von dem nachfolgenden Fahrer aus dem Auto gezerrt und mit Fußtritten traktiert.

Das Unheil kommt vom Himmel, es tropft aus den schwarzen Wolken – das Wetter ist an allem schuld.

Die Besitzer der Eiscafés schauen besorgt zum Himmel, nichts als Grau, tristes Grau, wohin man auch blickt, kein noch so schmaler Silberstreif am Horizont läßt auf besseres Wetter hoffen. Wahrhaft magere Zeiten für die, die vom Sommer leben. Im Freibad lösen die Bademeister Kreuzworträtsel, an manchen Tagen spielen sie auch Skat, um Geld sogar, damit die Zeit irgendwie vergeht. Auf die jungfräulich unberührte Wasseroberfläche des Beckens malen Regentropfen ihre ringförmigen Muster, stundenlang ziehen sie stille Kreise, niemand stört diese Idylle.

Wie so oft findet der Sommer nur auf dem Kalender statt. Juni. Und nichts als Regen, Regen, der längst schon alle bunten Sommerträume fortgespült hat. Alle Gedanken an blauen Himmel, an Hitze und Sonnenschein sind leise gluckernd in irgendeinem Rinnstein verschwunden.

Der Stadtpark, der seinen Namen wahrhaftig nicht verdient, weil er im Grunde kaum mehr ist als ein großer, gepflasterter Rundparcours, an dessen Innenkreis man alle zwanzig Meter eine weißgestrichene Holzbank aufgestellt hat, rechts und links eingerahmt von den unvermeidlichen orangefarbenen Abfallkörben aus Plastik, die zur Ordnung mahnen sollen, wirkt wie ausgestorben. In den trostlosen Beeten lassen rote Polyantharosen mutlos die zerzausten Köpfe hängen, irgendein Gewitterschauer, gestern oder vorgestern, hat ihnen den Garaus gemacht.

Zwei Menschen kauern eng nebeneinander auf einer feuchten Bank. Das dichte Blätterdach über ihnen bietet einen dürftigen Schutz vor dem Regen, doch von Zeit zu Zeit, wenn ein heftiger Windstoß ins Blätterwerk fährt und die Zweige durchschüttelt, ergießen sich kleine Sturzbäche eiskalten Wassers über die beiden. Sie nehmen es kaum wahr.

»Und was sollen wir jetzt machen?« schluchzt das Mädchen und schlägt ihre Hände vors Gesicht, schmale Kinderhände mit kurzgeschnittenen Nägeln.

Ihr Begleiter empfindet eine seltsame Dankbarkeit für diese Geste, weil er dadurch nicht länger diesem vorwurfsvollen Blick aus tränenverschwommenen Augen standhalten muß, der ihn rührt und gleichzeitig seinen Zorn weckt – weil er unmißverständlich fordert.

»Ich wwwweiß nicht, was wwwwir mmmmachen sollen«, kommt es stoßweise hinter dem Schutzwall aus Fingern hervor. Mit wir meint sie selbstverständlich nur ihn. Er soll machen, soll das alles wieder in Ordnung bringen, geradeso als ob er zaubern könnte, Hokuspokus Fidibus, du bist nicht mehr schwanger ...

»Zum Arzt muß ich doch auch wegen ...« Der Rest des Satzes ertrinkt gurgelnd in einem salzigen Meer aus Tränen, und jetzt nimmt sie auch noch die Hände herunter. Mein Gott ... alles schwimmt in Rotz und Wasser, aus der roten Nase trieft es unappetitlich – ein Kind hockt da, nichts weiter als ein jämmerlich weinendes Kind.

»Hör gefälligst mit der Heulerei auf«, herrscht er sie an, »so kommen wir auch nicht weiter!« Doch die einzige Reaktion, die er damit hervorruft, ist, daß sie noch lauter schluchzt. Alles Schöne, alles Anmutige, all das, was ihn an ihr so fasziniert, preßt sie mit klagenden Schluchzlauten aus sich heraus, mehr und mehr schrumpft sie zu einem unbedeutenden, durchschnittlichen Kind zusammen, die Jahre fallen von ihr ab.

Wenn sie damals nicht so bockig gewesen wäre, wird er sich später einmal verteidigen ...

Am liebsten würde er sie anbrüllen, durchschütteln, ihr den Mund zuhalten, egal was, wenn sie nur endlich still wäre. Diese ununterbrochene Heulerei macht ihn wahnsinnig und versetzt ihn langsam in Panik; er fühlt sich regelrecht bedroht von diesen theatralischen Schluchztiraden, die sein ohnehin schon angespanntes Nervenkostüm in Fetzen reißen. Dazu die wachsende Angst, daß trotz des Regens jemand vorbeikommen könnte. Gar nicht auszudenken, ein Bekannter würde sie so vorfinden, ihn und dieses heulende

Elend an seiner Seite. Wenn man erklären müßte, was diese Sintflut von Tränen ausgelöst hat … bloß das nicht.

»Sei um Himmels willen leise, wie soll ich dabei nachdenken?« zischt er wütend – natürlich vergeblich. Melanie schluchzt, was das Zeug hält. Ihr ganzer Körper scheint sich genüßlich daran zu beteiligen, zuckt rhythmisch im Takt ihrer langgezogenen, schniefenden Schluchzer auf und ab. Was dann geschieht, wie von selbst, als hätte eine fremde Macht von seinen Händen Besitz ergriffen, was geschieht, ist ihre Schuld, nur ihre. Wegen der trotzigen Heulerei. Weil sie ihn verrückt damit macht. Erstaunt betrachtet sein Kopf das Tun seiner Hände. Die linke umfaßt grob ihren Nacken, die rechte preßt sich gewaltsam auf ihren Mund, zuerst wohl wirklich nur, damit sie endlich die Klappe hält, wenigstens für einen kurzen Moment, für eine Atempause. Doch das Mädchen begreift eher als er selbst, was passieren soll. Erschrocken reißt sie ihre Augen auf, schöne Augen von einem durchsichtigen Graublau, das ihn immer wieder an einen zugefrorenen Winterteich erinnert, wilde Panik ist darin zu lesen, blanke Angst, Todesangst – und er versteht. Ihre Finger versuchen krampfhaft, die seinen fortzuzerren, sie kämpft verbissen, sie kämpft um ihr Leben, und beide wissen es. Wie könnte er jetzt noch loslassen?

Es bleibt ihm ja gar keine andere Wahl, als mit beiden Händen den dünnen Hals zusammenzupressen, mit aller Kraft, so daß kein Hilfeschrei entweichen kann, überhaupt kein menschlicher Laut mehr, nur noch dieses seltsam trockene, heisere Gurgeln, abgehackt, immer schwächer werdend, und irgendwann ist da nichts mehr, gar nichts … am Ende tritt eine unheimliche Stille ein. Als hätte man einen Horrorfilm mitten in der grauenvollsten Szene einfach abgestellt. Aus.

Einer, der auf geheimnisvolle Weise zum Mörder geworden

ist, kauert zitternd auf einer feuchten Parkbank, umgeben von feindlichem, lautlosem Nichts. In seinen Armen ruht ein Mädchenkörper ohne jedes Leben, erschlafft wie eine Marionette, der man die Fäden abschnitten hat.

Die salzigen Tränen, die über seine Wangen laufen, spürt er kaum. Oder ist es der Regen, der seit Stunden ununterbrochen herabnieselt und dieser abscheulichen Tat den passenden Hintergrund gibt? Ein dumpfer Schmerz pocht hinter seinen Schläfen, unentwegt und mit jedem Klopfen stärker werdend. Mörder, Mörder, Mörder … Für einen kurzen Moment möchte er sterben, sich einfach davonmachen, vielleicht sogar, um sich wieder mit ihr zu vereinen. Und es drängt ihn, sie noch einmal zu liebkosen, ihren weichen, glatten, weißen Körper ein letztes Mal zu streicheln, diese zarten Lippen, die ihm so vertraut sind, zum Abschied noch einmal innig zu küssen.

Doch es ist bereits zu spät. Sie hat sich verwandelt. In eine häßliche, abstoßende Leiche, das Gesicht grausam verzerrt, dunkelrote Male zeichnen den Hals, die Zunge quillt wie ein widerlich schleimiges Tier aus dem Mund. Es ekelt ihn vor diesem unmenschlichen Etwas. Und vielleicht ist es dieses starke Gefühl von Abscheu, das ihn in die Wirklichkeit zurückholt. Wieviel Zeit ist vergangen? Wie lange schon hält er diese Tote in seinen Armen? Ein paar Sekunden, Minuten, womöglich länger als eine Stunde? Er weiß es nicht, er erinnert sich beim besten Willen nicht. Es ist, als wäre er soeben aus einem Traum aufgewacht. Als begänne die Realität an genau dieser Stelle neu. Eine neue Zeitrechnung. Die Stunde Null, seine Geburt als Mörder.

Eines jedenfalls weiß er sofort, ohne erst näher darüber nachdenken zu müssen: Er wird sich nicht zu seiner Tat bekennen, sich womöglich der Polizei stellen. O nein, das kommt nicht in Frage, das nicht. Er will sein Leben weiterleben. Unbehelligt. Und er überlegt fieberhaft, was zu tun ist. Seine ganze Zukunft liegt jetzt in diesen beiden Händen, in Mörderhänden. Wie wird er aus dieser Situation herauskommen? Eingesperrt als verurteilter Mörder? Für Jahre hinter Gitter fortgeschlossen? Oder sollte es ihm gelingen, unerkannt weiterzuleben?

Die Wahrheit ist doch, daß es niemandem weiterhelfen würde, wenn man ihn verhaftet und aburteilt. Wem wohl, welcher Menschenseele wäre damit gedient? Niemand könnte dieses Mädchen, die er unabsichtlich geschwängert, und die er soeben getötet hat – im Grunde ja auch aus Versehen –, wieder lebendig machen. Niemand, er selbst am allerwenigsten, und wer weiß, ob er das überhaupt gewollt hätte, wenn er die Macht dazu besäße. War diese Lösung, ganz nüchtern betrachtet, in gewisser Weise vielleicht nicht sogar die beste?

Eine merkwürdige Einrichtung, der menschliche Verstand! Selbst unter solchen wahnwitzigen Voraussetzungen arbeitet er beinahe wie gewohnt, immer noch ziemlich logisch und rationell. Keine Frage, sein Verstand bedeutet seine Rettung. Noch gibt es keinen Tatzeugen, aufgrund eines unerklärlichen Zufalls ist bis jetzt kein Mensch vorbeigekommen. Er beschließt, dies als gutes Omen zu nehmen. Wie es scheint, ist das Schicksal mit seiner Art von Problemlösung durchaus einverstanden.

Hastig zerrt der Mörder die Leiche ins nächste Gebüsch, gleich hinter der Bank, seine Blicke schweifen dabei unruhig umher, suchen alles ab, finden jedoch nichts und niemanden, und ein zufriedenes Lächeln entspannt seine Züge. Zuletzt, einem plötzlichen Einfall folgend, streift er der Toten die Jeans runter, auch den Schlüpfer aus weißer Baumwolle. Für einen kurzen Moment hält er inne. Wie immer trägt sie ihre bravgeblümte Kinderunterwäsche, der gewohnte Anblick zieht sein Innerstes schmerzhaft zusammen. Augenblicklich ruft er sich selbst zur Ordnung. Jetzt ist wahrhaftig nicht die Zeit für sentimentale Erinnerungen. Er stellt ihre Schultasche neben den Kopf, reibt mit großer Sorgfalt den Griff ab, um nur ja keine Fingerabdrücke zu hinterlassen. Als letztes verwischt er noch die Schleifspuren im feuchten Sand.

Bevor der Mörder das Gebüsch auf allen vieren verläßt, vergewissert er sich nochmals sehr sorgfältig, daß kein Mensch in der Nähe zu sehen ist. Kein lebendiger Mensch jedenfalls. Bloß nicht in letzter Minute einen Fehler machen. In eben diesem Augenblick beginnt es wieder stärker zu regnen. Dicke Tropfen knallen auf den Plattenweg, überschwemmen in Minutenschnelle den Beton. Keine Frage, das Schicksal *ist* auf seiner Seite. Dieser heftige Platzregen wird alle verräterischen Fußspuren auslöschen. Beinahe hätte er laut und befreit aufgelacht.

Ein Brief. Ein neutraler, weißer Umschlag, der nichts über seinen Inhalt verrät. An Felicitas Bötticher. Mozartstraße 7. Absender ist eine Katja Starkowski.

»Starkowski? Kenn ich nicht«, murmelt sie vor sich hin, während sie den Umschlag aufreißt. Wie immer an der falschen Stelle, so daß die Briefmarke zerreißt. Du meine Güte, schon wieder, sie muß den Umschlag gleich verschwinden lassen, damit Dennis nichts merkt. Er sammelt Marken und reagiert jedesmal bitterböse, wenn sie eines seiner potentiellen Sammelobjekte aus Nachlässigkeit zerstört. Dennis ist seit vier Wochen sieben. Ihr einziges Kind. Ein ernster, überaus vernünftiger Junge, ein kleiner Erwachsener. Das genaue Abbild seines Vaters. Beide sind ihr auf die gleiche Art fremd.

Das Blatt ist sehr hell, eine blasse Fotokopie, an den Rändern kaum noch zu lesen. Klassentreffen ... zehn Jahre sind um ... »Grauer Esel« ... bitte telefonisch anmelden ... Katja Starkowski (Merker).

Ach, die. Katja Merker, die ehemalige Klassensprecherin. Spindeldürr, kein Hintern, kein Busen, streichholzkurzes Haar und Jeans. Immer nur Jeans, sogar zur Abschlußfeier. An ihre Schulzeit hat Felicitas Bötticher schon lange nicht mehr gedacht. Mit keinem der ehemaligen Mitschüler steht sie noch in Verbindung. Alles, was vor ihrer Hochzeit war, ist irgendwo verschwunden, in einen geheimen, unzugänglichen Winkel ihres Kopfes verbannt.

Während sie mühsam versucht, sich zu erinnern, geschieht etwas Seltsames. Sie fühlt sich urplötzlich bedroht. Dieser Brief, der so neutral, so unpersönlich wirkt, strömt Unheil aus, ganz sicher, er sondert etwas Furchterregendes ab, das über ihre Hand, den Arm hinauf, direkt in ihr Bewußtsein fließt. Erst als ihre Finger zurückzucken, ist der Stromkreis unterbrochen. Unschuldig wie eine weiße Friedenstaube segelt der Brief langsam zu Boden.

»Ich gehe nicht hin«, flüstert sie tonlos.

Eine aufgeregte Mutter meldet ihre einzige Tochter als vermißt.

»... sie ist aus der Schule nicht heimgekommen, ich habe alle Freundinnen angerufen, niemand hat sie gesehen, sie ist einfach weg, wie vom Erdboden verschluckt!« haspelte sie die Worte herunter, und eine entsetzliche Angst verzerrt ihre Stimme zu schrillen Mißtönen.

Ihr Gegenüber, ein gleichgültiger Polizist, er mag wohl Ende Fünfzig sein, tippt mit stoischer Gelassenheit die Angaben mittels einer altersschwachen Schreibmaschine, an der seit Jahren schon das L hakt, auf ein Formblatt, insgeheim davon überzeugt, daß diese Melanie Feldmann sich irgendwo ein paar schöne Stunden macht. Mittags ist sie nicht nach Hause gekommen, jetzt haben wir gerade mal siebzehn Uhr, mein Gott, wozu die ganze Aufregung!

Die offensichtliche Verzweiflung der Mutter beeindruckt ihn nicht weiter. Sie perlt wirkungslos von seiner grünen Uniform ab, so als wäre diese von vornherein gegen jede Art menschlicher Gefühle dauerimprägniert.

Wenn das Mädchen sechs wäre, oder sieben, dann wäre die Situation natürlich eine völlig andere. Aber mit fünfzehn …

In Hamburg vergnügen sie sich in diesem Alter mit U-Bahn-Surfen, in Berlin prostituieren sie sich am Bahnhof Zoo, um ihren Drogenkonsum zu finanzieren, woanders besetzen sie Häuser, klauen Autos. Manche dieser Kids leben seit Jahren auf der Straße. War nicht letzte Woche erst so ein Bericht im Fernsehen? Vielleicht hat die Kleine sich daraufhin entschlossen, es denen gleichzutun. Ob es immer gut sein kann, so was ausführlich im Fernsehen zu beschreiben und damit sozusagen zur Nachahmung zu empfehlen? Überhaupt – was kann die Polizei groß unternehmen, wenn so eine Halbwüchsige sich entschieden hat, abzutauchen. Wer nicht gefunden werden will, hat die besten Chancen, unentdeckt zu bleiben. Bringt man so eine Göre mit Polizeigewalt zurück, ist sie am nächsten oder übernächsten Tag sowieso wieder weg.

Auf dem Foto sieht er ein ernstes Kind, mager und hochaufgeschossen, so wie sie in dem Alter oft sind, ein bißchen zu schnell gewachsen, könnte man meinen, sie erinnert ihn an seine elfjährige Nichte. Aber diese hier ist bereits fünfzehn, fühlt sich vielleicht längst erwachsen, erwachsen mit allem, was dazugehört, Sex, Alkohol, Nikotin, harte Drogen. Eltern merken ja immer als letzte, was mit ihren Kindern wirklich los ist.

»Sie wird die Zeit vergessen haben, sitzt mit 'ner Freundin

im Café«, brummt er vor sich hin, während seine Augen das Zifferblatt seiner Armbanduhr taxieren. Zehn nach fünf, um halb sechs ist Feierabend. Noch zwanzig Minuten. Auf gar keinen Fall darf er vergessen, auf dem Heimweg ein paar Blumen zu besorgen. Heute ist sein neunzehnter Hochzeitstag. Nicht daß ihm selbst das besonders wichtig wäre, aber seine Frau legt großen Wert auf dieses Datum.

Leider beharrt diese Frau Feldmann darauf, alle Freundinnen angerufen zu haben.

»Na, vielleicht hat sie jemanden kennengelernt. Oder sie hat einen heimlichen Freund.«

O nein. Ganz bestimmt kein Freund, beschwört die Mutter augenblicklich, soweit sei ihre Melli noch lange nicht. Nein, da sei was passiert.

Langsam geht ihm diese Frau auf die Nerven. Offenbar ist die Göre wohl doch nicht so ein Musterkind, wie die Mutter behauptet, sonst wäre sie ja nach der Schule nach Hause gekommen. Mehr um diese Frau Feldmann zum Schweigen zu bringen als aus Überzeugung, nimmt er das Wort »Drogen« in den Mund. »Die Drogenabhängigkeit unter Minderjährigen nimmt ja leider ständig zu, selbst hier bei uns. Haben Sie schon mal an so was gedacht?« fordert er sie mit falschem Lächeln heraus.

Erwartungsgemäß ihre Reaktion, so als hätte er sie persönlich beleidigt.

»Ganz bestimmt nicht. Auf so was würde Melanie sich nie einlassen. Meine Tochter ist sehr zuverlässig!« Die Betonung liegt auf sehr. »Sie war schon immer ein besonders artiges Kind. Nur eben keine so gute Schülerin, da hatte sie manchmal Schwierigkeiten.«

Aha. Schulschwierigkeiten. »Vielleicht hat sie eine Fünf geschrieben und traut sich damit nicht heim«, greift der Grünuniformierte erneut an.

Es hilft Vera Feldmann gar nichts, zu beschwören, daß sie niemals über schlechte Noten schimpfen würde. Schließlich war sie selbst keine große Leuchte in der Schule. Der Polizist hat sein Urteil gefällt. Väterlich klopft er ihr auf den Rücken, nur keine Aufregung, so was kommt tagtäglich vor. Mit dem Versprechen, alle örtlichen Lokale und Diskotheken nach dem Mädchen abzusuchen, drängt er sie zur Tür hinaus. In Gedanken steht er bereits im Blumenladen. Er wird neunzehn Moosröschen kaufen, die sind wenigstens nicht so teuer.

Zwei junge Beamte werden an diesem Abend die beiden einzigen Diskotheken am Ort nach einem Mädchen absuchen, auf die die Beschreibung Melanie Feldmanns paßt. Finden werden sie keine Spur.

Der Mörder lebt diesen Tag genauso zu Ende, wie man es von ihm erwartet, er funktioniert tadellos, jedenfalls rein äußerlich.

In seinem Innern dagegen stimmt nichts mehr mit dem Gestern überein. Unablässig muß er sich selbst beruhigen: Du hast keinen Fehler gemacht, es gibt keinen Zeugen, es kann dir nichts passieren, niemand weiß von dir und Melli, doch die Angst pocht laut und fordernd in seinem erschreckten Herzen. Und wenn sie sich doch jemandem anvertraut hat?

Natürlich, er spürt auch eine gewisse Trauer in sich wachsen, er bedauert das Ende dieses wunderbar beglückenden Geheimnisses, das sie miteinander geteilt haben, das sein Leben in den letzten Monaten bestimmt hat. All diese Donnerstage …

Seltsamerweise fühlt er sich jedoch keineswegs schuldig, nicht als Mörder. Ihr Tod scheint irgendwie zwangsläufig das Ende einer Kette, eines nicht aufzuhaltenden Prozesses, der mit dieser unseligen Schwangerschaft begonnen hat. Diese verfluchte, ungewollte Schwangerschaft ist schuld an Melanies Tod, dieses befruchtete Ei, dieses unerwünschte Leben. Er selbst war ja auch nur ein Opfer, auch er hat leiden müssen, seine Beziehung mit Melanie beenden, ihm ist letztlich keine andere Wahl geblieben.

Jeder Tag hat vierundzwanzig Stunden. Nicht mehr und nicht weniger. Auch ein solcher Tag geht zu Ende. Vor dem Zubettgehen betrachtet er noch einmal sehr aufmerksam seine Hände, Mörderhände, die rechte wie die linke, und dennoch in nichts von seinen Alltagshänden zu unterscheiden. Für wenige Sekunden läuft ihm ein eiskalter Schauer über den Rücken. Es graut ihm vor sich selbst, vor seiner entsetzlichen Tat. Nie, nie in seinem Leben hätte er sich vorstellen können, einmal einen Menschen umzubringen. Kaltblütig. Ja, erstaunlich kaltblütig hat er gehandelt. Hat die Leiche versteckt, sorgfältig und wohlüberlegt. Hat sogar daran gedacht, alle Spuren zu beseitigen. Auf einmal wächst ein verrückter Stolz in ihm. Wer würde schon hinter dieser bürgerlichen Fassade einen Mörder vermuten? Selbst das Mördergesicht im Spiegel scheint vollkommen identisch mit seinem Alltagsgesicht. Lediglich das Mörderherz ist geringfügig aus dem Takt geraten, schlägt etwas schneller als gewohnt. In seinem Innersten breitet sich die beruhigende Erkenntnis aus, daß es sich mit einer solchen Schuld durchaus leben läßt – solange man unentdeckt bleibt, sich nicht rechtfertigen muß, solange man niemandem zu erklären braucht, was man selber nicht versteht. Wer außer ihm selbst würde begreifen, daß dieser Mord keine Straftat im herkömmlichen Sinn bedeutet, sondern ein unabänderliches Geschick darstellt.

Er beschließt, als Unauffälliger zwischen all den anderen Unauffälligen unterzutauchen. Wer kann schon sagen, welche düsteren Geheimnisse die mit sich durch die Jahre schleppen.

Neumond. Tiefste Finsternis hüllt die Stadt ein. Die Schläfer fühlen sich in ihren Betten sicher und geborgen, flüchtig nehmen sie im Halbschlaf wahr, daß kalte Regentropfen aufs Dach prasseln, an die Fenster klopfen, und sie kuscheln sich tiefer unter die Decke.

Eine Schleiereule streicht lautlos durch die Nacht, auf der Jagd nach Beute. Blitzschnell schlägt sie zu, ein hilfloses Piepsen, dann kehrt wieder Stille ein.

Wenige Meter weiter liegt Melanie Feldmann mit weit aufgerissenen Augen in einem Dickicht aus Haselsträuchern und Holunder. Der eiskalte Regen spült den letzten Funken Wärme von ihrem Körper, den letzten Beweis dafür, daß sie vor zwölf Stunden noch gelebt hat. Darm und Blase haben sich bereits entleert, der Geruch wird bei Sonnenaufgang die ersten Fliegen anlocken.

Eine lange Nacht für die Eltern, Stunden, die nicht vergehen wollen, die sich endlos in die Länge ziehen. Man sitzt sich stumm am Küchentisch gegenüber, keine Worte, die es zu sagen gäbe. Vera Feldmann betet lautlos, ihr Mann Dieter starrt gedankenverloren vor sich hin. Sie wagen nicht, einander in die Augen zu sehen.

Mitten in der Nacht heult irgendwo ein Hund. Eine alte Frau erwacht. Sie lauscht einen Moment, dann erhebt sie sich schwerfällig. Gleich neben dem Bett steht ein Stuhl, ihr kariertes Wolltuch hängt über der Lehne, das letzte Andenken an ihre Mutter. Sie legt es um die Schultern und schlurft in die Küche. Das schaurige Heulen wird lauter, und sie nickt mit dem Kopf. Seit ihrer Kindheit weiß sie diese schmerzerfüllten Töne, die man nur zur Nachtzeit hören kann, zu deuten. Sie heißen nichts anderes, als daß ganz in der Nähe ein Mensch gestorben ist. Die Hunde haben sich seit Urzeiten ihr Gespür für den Tod bewahrt, sie begleiten mit ihrem Klagelied jede arme Seele, die des Nachts in den Himmel emporsteigt.

Die Alte zündet eine Kerze an und betet leise ein Vaterunser, ihre gefalteten Hände liegen auf dem Tisch. Lange starrt sie in das flackernde Licht der billigen Wachskerze.

Gegen Morgen schweigt der Hund. Die Frau legt sich wieder schlafen. Wie so oft in letzter Zeit fragt sie sich, wer wohl für ihre Seele beten wird, wessen Kerze ihr den Weg erleuchten wird, wenn die Zeit gekommen ist.

MITTWOCH

Ein neuer Tag.

Ein Tag wie jeder andere.

Nicht ganz. Eine Mutter bangt um ihre verschwundene Tochter. Wie könnte sie auch ahnen, daß ihr Kind nur neunhundert Meter entfernt in einer Blätterhöhle liegt. Ermordet. Und daß gerade eben ein Schwarm dicker schwarzer Fliegen besitzergreifend über Melanies kalten, feuchten Körper kriecht.

Ein Mörder übt sich darin, seine schreckliche Tat zu vergessen, sie kurzerhand aus seinem Gedächtnis zu streichen. Auf Nimmerwiedersehen. Müssen Soldaten, die im Krieg getötet haben, nicht auch lernen, diese Morde als zwangsläufig, als unumgänglich zu betrachten? Um überhaupt weiterleben zu können mit so einer Schuld.

In der Klasse 9a der Realschule am Wiemersberg fehlt eine Schülerin. Nicht aus Krankheitsgründen, wie einige Mitschüler zuerst glauben. Nein, Melanie Feldmann ist verschwunden. Spurlos verschwunden, wie es so schön heißt.

Eine besorgte Klassenlehrerin, die kaum wagt, ernsthaft ihre Befürchtungen zu Ende zu denken, so als könnte man durch Nicht-wahrhaben-Wollen etwas Böses verhindern, wendet sich an die Mitschüler.

»Heute morgen hat mich Frau Feldmann angerufen. Wie es scheint, ist Melanie verschwunden. Schon seit gestern mittag. Weiß irgend jemand von euch, wo sie sich aufhält?«

Aufgeregtes Gemurmel, Melanies Banknachbarin schlägt erschrocken die Hand auf den Mund, jemand fragt ungläubig »Was?«, doch niemand meldet sich zu Wort.

»Es wäre ja möglich, daß sie einem von euch ihren Aufenthaltsort anvertraut hat. Wenn das so ist, wenn dieser Jemand jetzt nicht weiß, ob er sein Schweigen brechen darf oder nicht, dann sollte er sich überlegen, daß die Eltern sich große Sorgen machen. Sogar die Polizei ist eingeschaltet. Die ganze Geschichte ist wirklich sehr ernst. Ich kann nur an eure Vernunft appellieren.«

Nichts.

»Ich bleibe auf jeden Fall in der großen Pause im Klassenraum. Es kann ja sein, daß jemand unter vier Augen mit mir sprechen möchte …«

Silvia Vehn-Becker erfreut sich bei den Schülern sehr großer Beliebtheit. Schon zum dritten Mal hintereinander hat man sie mit beträchtlichem Stimmenvorsprung zur Vertrauenslehrerin gewählt. Und niemand kann ernsthaft daran zweifeln, daß sie genau die Richtige für diese Aufgabe ist. Unvorstellbar, daß Frau Vehn-Becker mal nicht auf seiten der Schüler steht. Sie hat es bei den Kollegen durchgesetzt, daß in der Aula ein Getränkeautomat aufgestellt wurde, daß während der Pausen Popmusik über die Schulanlage gespielt wird, und augenblicklich kämpft sie dafür, daß der Pausenhof neu gestaltet wird. Am meisten liegt ihr selbstverständlich ihre eigene Klasse am Herzen. Sie glaubt, alle ihr anvertrauten Schüler gut zu kennen.

Aber diese Melanie Feldmann gleicht einem unbeschriebenen Blatt, nichtssagend schneeweiß von beiden Seiten. Ein Mädchen, über das es praktisch nichts zu wissen gibt, eine stille brave, unscheinbare Tochter aus geordneten, gutbürgerlichen Verhältnissen. Einzelkind. Ausgesprochen zuverlässig. Mäßig intelligent. Für eine Fünfzehnjährige noch recht kindlich, womit sie allerdings nicht die einzige in der Klasse ist. Auch Spätentwickler gehören zur Norm.

Melanie Feldmann. So eine verschwindet nicht sang- und klanglos von der Bildfläche, per Anhalter in ein aufregenderes Leben, so eine nicht.

Die Mutter, Vera Feldmann, fühlt sich in einem Alptraum gefangen, eingesponnen wie ein wehrloses Insekt. Ein Alptraum ohne Ende, einer, aus dem es nicht gelingt, wieder aufzuwachen. Alles, was gestern noch wichtig war, hat seinen Sinn verloren. Es zählen nur noch drei Worte. *Wo ist Melanie?* Immer noch keine Spur von ihr. Vorhin hat sie ganz automatisch den Frühstückstisch für drei gedeckt. Drei Holzbretter, drei Messer, zwei grüngeblümte Kaffeetassen und einen rosa Keramikbecher für Mellis Kakao. Erst Dieters fassungsloses »Was machst du denn? Melli ist nicht da!« ließ sie die Unsinnigkeit ihres Tuns erkennen und löste einen erneuten Sturzbach von Tränen aus.

»Beruhige dich, sie kommt schon wieder«, stammelt er hilflos. Eine Lüge, so offensichtlich, so plump, daß sie schon wieder herzlos ist. Er kann ihr dabei nicht in die Augen sehen, er weiß doch selbst, daß Melanie ihren Eltern so was nie antun würde. Wenn sie könnte, würde sie sich melden. Wenn sie könnte …

In stummem Einverständnis bittet Dieter Feldmann seinen Chef um einen Tag unbezahlten Urlaub. Seine Frau befindet sich in einem derart aufgelösten Zustand, daß er nicht wagt, sie für acht lange Stunden allein zu lassen.

Auf ihr Drängen hin suchen sie gegen zehn Uhr gemeinsam das Polizeirevier auf. Bestimmt wird die Anwesenheit eines Mannes die Polizisten eher davon überzeugen, daß wirklich etwas Schlimmes passiert sein muß, ja, so wird es sein. Doch Dieter erfüllt ihre Erwartungen nicht; dieser Anzug ist ihm ein paar Nummern zu groß. Überhöflich, fast unterwürfig läßt er sich mit laschen Phrasen abspeisen, gewiß doch, ja, wir müssen geduldig sein, man muß abwarten. Sie selbst muß wieder in die Offensive, wie gestern, wie vorgestern, wie immer.

»Haben Sie inzwischen wenigstens eine Spur?« bedrängt sie beharrlich den diensthabenden Polizisten, nicht bereit, sich so einfach abschieben zu lassen. Ein anderer sitzt heute dort, ein ganz junger, der von gestern hat sich wegen Grippe krankgemeldet.

»Nein, nichts. Unser Streifenwagen hat mehrfach alles abgefahren, wir haben die Suchmeldung über den Computer geschickt, sie kommt im Laufe des Nachmittags auch übers Radio, mehr können wir im Moment nicht tun. Abwarten …« Er lächelt auf eine grausam neutrale, unehrliche Art, und es kann gar kein Zweifel daran bestehen, daß er die Meinung seines Kollegen teilt, daß hier eine Fünfzehnjährige einfach beschlossen hat, ihr Leben radikal zu ändern. Nein, dieser Schnösel in grüner Uniform sorgt sich nicht die Spur um Melanie.

Alle Versuche Vera Feldmanns, ihn mit ihren Ängsten anzustecken, scheitern. Sie solle sich nicht zu viele Gedanken machen, man müsse einfach Verständnis haben für die Dummheiten der Jugend. Erfahrungsgemäß tauchen solche Mädchen innerhalb von wenigen Tagen wieder auf.

… *Solche Mädchen!* Schon wieder einer, der ein Urteil über Melanie abgibt, ohne sie zu kennen. Für den da ist sie auch nur eine Zahl in einer Statistik, eine Stelle hinter dem Komma. Kein Mensch aus Fleisch und Blut.

In ihrem Bauch braut sich was zusammen, ein Unwetter aus Zorn und Angst, aus Haß gegen die Polizei, gegen ihren Mann, vielleicht sogar gegen alle Männer. Vera Feldmann möchte am liebsten laut kreischen, möchte hinter den

Schreibtisch stürzen und den Grünuniformierten aus seinem Stuhl zerren, ihn durchschütteln, rechts und links ohrfeigen. Nur damit er aus seiner routinierten Überheblichkeit aufschreckt. Meine Tochter ist nicht solch ein Mädchen! Da ist etwas passiert! Vielleicht ist sie schon längst tot! Doch die Endgültigkeit, die in dem Wort *tot* liegt, hält sie davon ab. Melli ist nicht tot, o nein, nicht tot, daran darf man nicht mal denken, schon gar nicht davon sprechen, sonst wird es am Ende noch wahr.

Wenig später verläßt sie entmutigt das Präsidium. Vera Feldmann, eine blasse, blonde Frau Ende Dreißig, eigentlich recht hübsch anzusehen mit der frischen Dauerwelle und ihrem neuen roten Sommerkleid, bricht draußen in verzweifeltes Schluchzen aus.

»Denen sind wir scheißegal! Die denken gar nicht daran, irgendwas zu unternehmen. Für die ist sonnenklar, daß Melli durchgebrannt ist!«

»Unsinn«, will ihr Mann beschwichtigen, genauso halbherzig, wie er alles im Leben angeht. »Ich bitte dich, Vera, du hast doch gehört. Alles läuft …, sogar das Radio haben sie eingeschaltet, mehr können die doch auch nicht machen … Wir müssen eben geduldig sein …«

Welche Mutter könnte wohl geduldig sein in dieser Situation. Vera Feldmann hat weder Zeit noch Nerven für Geduld.

»Geduld?« fährt sie auf »Du benimmst dich ja, als wäre dein Manschettenknopf verschwunden! *Mein* Kind ist weg, mein eigen Fleisch und Blut, verstehst du? Melanie! Dir ist das vielleicht nicht so wichtig!«

»Aber Vera!« Sein Gesicht verliert auf einen Schlag alle Farbe. »Wie kannst du so was sagen …, ich habe sie genauso lieb wie du!«

Dr. Holger Bötticher hat den Brief gefunden, diese Einladung zum Klassentreffen. Bedauerlicherweise hat sie ihn gestern abend ausgerechnet auf dem Eßzimmertisch liegenlassen. Wie dumm.

Jetzt wedelt er damit vor ihrem Gesicht hin und her – als wolle er ihr Luft zufächeln.

»Natürlich gehst du hin!«

Trotzig schüttelt sie den Kopf.

Mühsam unterdrückt er seinen Ärger, weil sie es wieder mal nicht für nötig befunden hat, sich zu duschen und sich vor dem Frühstück anzuziehen. Mittelblonde fettige Strähnen umrahmen traurig das blasse ungeschminkte Gesicht, ihre schmale Gestalt verbirgt sich in einem nicht mehr ganz sauberen Morgenmantel aus cremefarbenem Seidensatin, für den er vor wenigen Wochen über vierhundert Mark bezahlt hat. Sie hat ihn mit Ei bekleckert. Hockt dort am Frühstückstisch wie eine ganz gewöhnliche schlampige Hausfrau, ungepflegt und desinteressiert, eine, deren Mann irgendwo auf Schicht geht.

Sicher, hübsch ist sie immer noch. Genau die gleiche Porzellanschönheit wie damals, als er sich auf der Stelle unsterblich in die Achtzehnjährige verliebt hatte. Wenn sie doch nur mehr auf sich achten würde, wenn sie sich endlich ihrer eigenen Schönheit bewußt wäre.

Wie er es haßt, das Fremde, Leblose, das sich eingeschlichen hat, diese entsetzliche Apathie, in der sie ihre Tage nutzlos vertrödelt. Oder ist da gar nichts Neues hinzugekommen? Hat statt dessen irgend jemand, irgend etwas einen wichtigen Teil ihrer Seele zerbrochen? War er es am Ende selbst? Man liest ja heute so viel über weibliche Sexualität. War es falsch, sich über ihre abweisende Miene, über ihre krampfhaft geschlossenen Augen hinwegzusetzen? Sie hat niemals *nein* gesagt, nie *ich will nicht*. Hat ihn immer eingelassen und in sich aufgenommen. Und er, der sie so rasend begehrte, hat sich wieder und wieder vergessen, verloren. Nicht mit Gewalt hat er sie besessen, nicht ein einziges Mal. Aber er hat ignoriert, daß sie ihn nicht wollte. Daß sie manchmal unwillig aufgeseufzt hat. In letzter Zeit fühlt er sich zunehmend schuldig. Er wagt kaum noch, sie anzurühren.

Wie ist es möglich, daß Felicitas trotz ihrer unwiderstehlichen Schönheit so wenig Selbstbewußtsein besitzt, genaugenommen keine Spur davon. Liegt es daran, daß sie keinen Beruf hat, keine eigene Karriere vorweisen kann? Aber da ist doch der Junge, der Anspruch auf eine Vollzeitmutter, auf eine intakte Familie hat. Vielleicht löst das Klassentreffen ihre innere Verkrampfung. Vielleicht muß sie erst ihr Leben mit dem der anderen vergleichen, um zu erkennen, daß sie sich weiß Gott nicht zu beklagen hat. Welche andere Frau von sechsundzwanzig Jahren lebt so gut wie Felicitas? Er sorgt immer dafür, daß genug Geld auf ihrem eigenen Konto ist, dann das große Haus – mit Swimmingpool und Sauna, dreimal die Woche eine Haushaltshilfe, ein wunderbarer Sohn und nicht zuletzt ein Ehemann, der sie beinahe täglich mit wertvollen Geschenken überhäuft, der sie in den teuersten Läden der Stadt von Kopf bis Fuß einkleidet. Wieso in drei Teufels Namen ist Felicitas nicht restlos glücklich? Hätte sie nicht allen Grund dazu? Wäre sie nicht so schön, so absolut ungewöhnlich bildschön, so perfekt, er hätte längst über eine Trennung nachgedacht.

»Liebling, ich bitte dich. Was soll der Blödsinn? Klassentreffen nach zehn Jahren. Bist du denn gar nicht neugierig, was aus den anderen geworden ist? Das ist doch mal eine nette Abwechslung. Etwas, das nur dir allein gehört. Sonst beklagst du dich immer, daß du bloß mein Anhängsel bist. Ich werde dich vom Büro aus telefonisch anmelden. Du mußt mal raus!«

»Ich will nicht!«

»Und warum nicht, wenn ich fragen darf?«

Warum? Wie könnte sie diesem Mann, der immer alles weiß, immer alles kann, der sämtliche Erfolge dieser Welt für sich gepachtet zu haben scheint, erklären, wie es ist, sich vor allem zu fürchten. Vor den Menschen, vor ihren Fragen, vor dem Leben selbst. Sogar vor einer harmlosen Fotokopie.

Ein hilfloses Schulterzucken, das er mit einem unwilligen »Ich melde dich an!« fortwischt.

Sie wird sich fügen. Wie immer.

Melanie Feldmann bleibt nicht lange verschwunden. Um fünfzehn Uhr wird die Vermißtenmeldung im Radio gesendet, gleich nach dem Verkehrsfunk. Die Vermißte trug schwarze Jeans, Turnschuhe, ein hellblaues T-Shirt, darüber eine rotweiß gestreifte Regenjacke, wer sie gesehen hat, wird gebeten, die nächste Polizeidienststelle zu benachrichtigen. Um siebzehn Uhr ruft ihre Mutter noch einmal alle Schulfreundinnen an – ohne Ergebnis. Keine hat was gesehen oder gehört, aber jede verspricht gewissenhaft, die Augen offenzuhalten.

Gegen zweiundzwanzig Uhr zehn führt der Rentner Joachim Helsing seinen Hund, einen hellbraunen Dackel, der eher einer kurzbeinigen Brühwurst als einem Hund gleicht und mehr oder weniger auf den Namen Flocki hört, Gassi. Wie immer durch den Stadtpark. Da es seit Stunden ohne Unterlaß regnet, hat Helsing nicht vor, sich lange aufzuhalten. Der Köter faulenzt sowieso am liebsten daheim in seinem Körbchen, dem tut er gewiß keinen Gefallen mit diesem Spaziergang. Doch Helsing leidet seit zwei Jahren an zunehmender Angina pectoris, und sein Hausarzt hat ihm eindringlich zu regelmäßiger Bewegung geraten, um den Krankheitsverlauf wenigstens für ein paar Jahre aufzuhalten, also zerrt er den Hund tagein, tagaus dreimal durch den Park. In Gedanken geht Helsing gerade das Fernsehprogramm durch, gegen halb elf soll im Ersten ein alter Spielfilm wiederholt werden, im Zweiten zeigen sie wieder nur Mist, das Dritte ist sowieso nicht sein Fall – da reißt der Hund sich ganz unerwartet los. Ausgerechnet Flocki, der gewöhnlich kaum zwanzig Schritte ohne Verschnaufpause schafft, prescht wild bellend voraus und verschwindet in einer dichten Gruppe aus Ebereschen, Haselsträuchern und Holunder.

Wildkaninchen, vermutet Helsing sofort, der Köter hat Wildkaninchen ausgemacht. Vor Jahren einmal hatte Flocki, damals noch sehr viel schlanker und beweglicher, ein Kaninchen gerissen. So was ist selbstverständlich strafbar, gar nicht zu reden von der Riesenschweinerei – über und über war das ganze Fell mit rotem Blut besudelt –, und er hatte geknurrt und um sich geschnappt und wollte partout nicht von seiner Beute ablassen. Zum ersten und einzigen Mal bewies er eindrucksvoll, daß selbst die kleinsten Hunde sich noch zur nahen Verwandtschaft der Wölfe zählen dürfen.

»Flocki, bei Fuß«, verlangt Helsing ärgerlich. Das hat ihm gerade noch gefehlt. Ausgerechnet bei diesem Mistwetter. Wie nicht anders zu erwarten, gehorcht der Hund nicht. Der Befehl »bei Fuß« ist ihm ohnehin nicht näher bekannt.

Was also bleibt Helsing anderes übrig, als seinem Hund in die regennassen Büsche zu folgen. »Na warte, zu Hause gibt's was mit der Zeitung«, schimpft er vor sich hin, wohl wissend, daß das nur eine leere Drohung ist. Ächzend bückt er sich und bahnt sich mit den Händen einen Weg durch die tropfenden Zweige.

Melanie Feldmann wird nicht länger als vermißt gelten.

Knapp zwei Stunden später teilt Hauptkommissar Stefan Heyne vom Ersten Kommissariat, der Abteilung für Mord und Brand, seine Leute ein. In Zweiergruppen werden sie losgeschickt. Die ersten Stunden nach einem Mord sind die wichtigsten. Man darf dem Täter keine Zeit lassen, seine Spuren zu verwischen. In diesem Fall ist ohnehin schon jede Menge kostbarer Zeit verstrichen; das Mädchen muß seit mindestens vierundzwanzig Stunden tot sein. Ihre Identität hat man gleich am Tatort klären können. Zum einen lag eine Vermißtenmeldung vor, die in allen Punkten auf die Tote zutraf, zum anderen stand die Schultasche mit ihrem Namen und ihrer Anschrift gleich neben der Leiche.

Oberkommissarin Johanna Lauritz, die bis vor kurzem ihren Dienst im Betrugsdezernat versehen hat, ist zum ersten Mal dabei. Sie darf sogar mit dem Chef persönlich arbeiten. Nicht etwa, weil er sie für besonders fähig hält, dieser Illusion gibt sie sich gar nicht erst hin, nein – einfach nur, weil sie eine Frau ist. Helga Thom, ihre Vorgängerin, hat sie schon vorgewarnt. Heyne weiß gern eine Frau an seiner Seite, eine, die sich um weinende Angehörige kümmert, ansonsten aber dezent im Hintergrund verblaßt, eine fürs Emotionale gewissermaßen. Sieh gleich zu, daß du dich behauptest. Ich war leider viel zu blöde …

Dem allgemeinen Klischee einer Kriminalbeamtin entspricht Johanna sicher nicht. Dafür wirkt sie zu jung, aber auch zu schrill. Wer stellt sich schon eine Kommissarin vor, die ihr Haar brennend rot färbt, die sich mit Vorliebe in schwarzes Leder kleidet, auf Heavy Metal steht und stark an eine aufmüpfige Oberschülerin erinnert! Äußerlichkeiten allerdings, von denen man sich nicht täuschen lassen sollte. Ihr beruflicher Werdegang zeigt keinerlei Schwachstellen auf, ihre Personalakte belegt eindrucksvoll, daß Johanna sich in der Vergangenheit immer und überall bestens bewährt hat. Anders hätte sie es wohl auch nie geschafft, sich gegen drei männliche Mitbewerber durchzusetzen. Bekanntlich müssen Frauen ja nicht gleichgut, sondern deutlich besser sein, wenn sie in typischen Männerberufen vorwärtskommen wollen.

»Wir beide suchen die Eltern auf. Eine unangenehme Sache, vielleicht können Sie die Mutter ein wenig unterstützen«, hat Heyne ihr vor wenigen Minuten seine Sicht der Zusammenarbeit vorgestellt – und damit Helgas Worte voll und ganz bestätigt. »Groß weiterhelfen können die uns wahrscheinlich sowieso nicht. Sieht ja alles nach so einem verfluchten Sexualdelikt aus. Hoffentlich ist das nicht der Anfang einer ganzen Serie.«

Wäre es Johanna nicht so verdammt übel gewesen, hätte der Anblick des toten Mädchens sie nicht derart hart getroffen, an einer Stelle im Kopf oder im Bauch, an der wohl alle Frauen wehrlos sind, sie hätte das nicht widerspruchslos hingenommen … vielleicht können Sie die Mutter ein wenig unterstützen. Doch der Gedanke an das Mädchen schnürt ihr die Kehle zusammen und spielt mit ihrem Magen Prellball. Da hatte sie sich vorgenommen, von Anfang an kühl und souverän aufzutreten, sich keinesfalls in den Hintergrund abdrängen zu lassen, und jetzt hockt sie wortlos und käseweiß neben Heyne und schluckt mühsam ihre Übelkeit runter, möchte am liebsten mit dem Himmel um die Wette heulen.

Melanie Feldmann. Mit gerade erst fünfzehn Jahren sexuell mißbraucht und erwürgt. Das altbekannte Gefühl von Trauer und Wut, weil einer Frau, einer anderen Frau so etwas passiert ist, setzt ein. Diese fürchterliche Ahnung dessen, wie verloren, wie hilflos das Mädchen sich gefühlt haben muß. Zu wissen, daß es keine Rettung gibt, unterlegen sein …

Hoffentlich ergibt die Obduktion, daß der Kerl die Kleine hinterher mißbraucht hat. Unwahrscheinlich zwar, aber hin und wieder kommt so was vor. Lieber Gott, bitte laß sie vorher tot gewesen sein, betet Johanna, die seit ihrer Konfirmation keine Kirche mehr von innen gesehen hat, inbrünstig. Die magere Kindergestalt, gelblich blaß und durchscheinend, das entstellte Gesicht, lilaschwarz angelaufen, dazu das Bündel Kleidungsstücke, das der Mörder nachlässig neben die halbnackte Leiche gelegt hat, all das erinnert an einen großen, gerupften Vogel. Geschlachtet und gerupft. Welch ein würdeloser Tod. Mit schlechtem Gewissen fällt ihr ein, daß sie auf der Fahrt zum Präsidium noch lauthals gesungen hat, voller Vorfreude, daß sie innerlich geglüht hat, darauf brannte, endlich loszulegen. Nein, so hat sie sich ihren ersten Mordfall wahrhaftig nicht vorgestellt.

Die Fahrt dauert nicht lange. Feldmanns bewohnen einen Flachdachbungalow am Stadtrand, mit dem Wagen wenige Minuten vom Tatort entfernt. Unterwegs reden sie kein Wort. Das einzige Geräusch ist das gleichmäßige Brummen des Motors. Und das Trommeln der Regentropfen auf dem Autodach. Krampfhaft bemüht Johanna sich, durch tiefes Einatmen und verbale Suggestion, ihr inneres Gleichgewicht wieder herzustellen. *Ruhe, Sicherheit, Gelassenheit,* versucht sie ihr Innerstes zu überzeugen. Leider nur mit mäßigem Erfolg.

Obwohl es bereits nach Mitternacht ist, ganz genau null Uhr vierzehn, brennt drinnen noch Licht. In eines der Fenster hat Frau Feldmann eine kleine Messinglampe gestellt. Der warme Schein fällt hoffnungsvoll bis fast auf den Bürgersteig. Ein Licht für die verlorene Tochter. Noch können sie nicht wissen, daß die schlimmste aller Befürchtungen eingetreten ist.

Stefan Heyne nickt seiner neuen Kollegin aufmunternd zu, während er den Wagen absperrt.

»Sie kümmern sich dann um die Mutter … wir müssen sie ja noch zur Identifikation mitnehmen.«

Schon klingelt er forsch, als könne er das Überbringen der schlechten Nachricht kaum erwarten. Beinahe im selben Augenblick wird die Tür mit Schwung aufgerissen.

Nur ein flüchtiger Blick auf die bereitwillig gezückten Dienstausweise.

Vera Feldmann, die immer noch ihr schönes neues rotes Sommerkleid trägt und deren verweintes Gesicht so gar nicht dazu passen will, fleht mit gepreßter Stimme: »Wissen Sie was, haben Sie irgend etwas erfahren?«

Ihr Mann dagegen, ein untersetzter, schwammiger Endvierziger, dessen Haar sich bereits deutlich lichtet, scheint sehr darum bemüht, einen gefaßten und vernünftigen Eindruck zu machen.

»Kommen Sie doch rein. Vera, so laß die Herrschaften doch erst mal eintreten …«

Das Haus wirkt von innen ziemlich beengt, der Flur gleicht einem dunklen, fensterlosen Schlauch, kleingeblümt tapeziert, von dem die Zimmer abgehen, fünf Türen zählt Johanna. Im Wohnzimmer, das etwa zwanzig Quadratmeter mißt, versammelt sich eine wohldosierte Mischung aus Nußbaumfurnier und goldfarbener Veloursgarnitur, poliertem Zinn und kitschig bunten Kristallvasen im Schrank. Über der Couch hängt das silbergerahmte Porträt eines Schulkindes, das mit leuchtenden Augen seine überdimensionale Schultüte begutachtet. Sicherlich ein Foto der Toten; verlegen schaut Johanna zur Seite. Es riecht hier drinnen eine Spur zu süßlich, das müssen die Nelken auf der Anrichte sein.

Das einzig auffällige Stück in diesem Zimmer ist die Tiffanylampe über dem Tisch, ein wunderschönes Stück, sehr sauber gearbeitet in klaren, harmonischen Wasserfarben. Ein tiefes Blau, dazu verschiedene Grüntöne, eine angedeutete Unterwasserwelt. Sie überschüttet den Tisch mit angenehm warmem Licht. Seltsam, inmitten all dieser nichtssagenden Durchschnittlichkeit wirkt die Lampe fehl am Platz, als hätte sie sich verirrt, beinahe wie eine Prinzessin, die sich versehentlich unters gemeine Volk gemischt hat. Unwillkürlich bleiben Johannas Augen immer wieder an der Lampe hängen, vielleicht auch nur aus Selbstschutz, um nicht dem verzweifelten Blick der Mutter begegnen zu müssen.

Stefan Heyne, seit mehr als fünfzehn Jahren Leiter des Ersten Kommissariats, ein alter Fuchs, erfahren und mit der Zeit abgestumpft gegen Trauer und Entsetzen, bleibt wie immer in solchen Situationen kühl und reserviert. Nach seiner Therorie nützt es niemandem, wenn man die grausame Wahrheit zuerst in rosa Geschenkpapier verhüllt, um sie dann nach und nach auszupacken. Er bevorzugt grundsätzlich den direkten Weg.

»Mein Name ist Hauptkommissar Heyne, dies ist meine Kollegin, Oberkommissarin Lauritz. Wir haben die traurige Pflicht, Sie zu informieren, daß eine Leiche gefunden wurde, auf die die Beschreibung Ihrer Tochter paßt.«

Lähmendes Entsetzen. Als hätte er eine Leuchtkugel aus Worten abgeschossen, die minutenlang regungslos unter der Zimmerdecke verharrt, alle Blicke wie magisch anzieht, um plötzlich in tausend grausame Einzelteile zu zerplatzen, die als glühende Funken auf die Menschen im Raum herabrieseln und dort tiefe Verletzungen einbrennen, die nie mehr heilen sollen. Wundmale.

Der Schrei schmerzt in ihren Ohren, ein furchtbarer Aufschrei voller Schmerz und Qual, als hätte man Vera Feldmann bei lebendigem Leib das Herz herausgerissen; so ähnlich mag sie diese Nachricht ja auch empfinden.

Stumm dagegen ihr Mann, er schüttelt nur den Kopf, beinahe unwillig, als wäre das Gesagte ihm lästig. Als hätte er den Sinn der grausigen Nachricht nicht ganz begriffen. Erst Minuten danach steigt eine dunkle Röte in seine Wangen, irgendwie hektisch, als wolle sie die peinliche Verspätung wieder aufholen.

Das gellende Schreien seiner Frau geht in ein heftiges Schluchzen über, laut und hysterisch – genau die Art von Schluchzen, das ihrer Tochter zum Verhängnis geworden ist.

Hauptkommissar Heyne nickt Johanna unauffällig zu – also übernimmt sie artig die ihr zugedachte Rolle. Sie legt ihren Arm um die Schultern der verzweifelten Mutter und murmelt beschwörend: »Ja ... weinen Sie nur, manchmal hilft das ...«

Was für dämliche Phrasen, beinahe schämt Johanna sich dafür. Tränen sollen helfen? Nun, mitunter mag das sogar stimmen, aber jetzt und hier gewiß nicht. Welche Worte gibt es für eine Mutter, die ihr Kind verloren hat, durch ein bestialisches Sexualdelikt verloren? Es tut mir so leid, ich weiß, wie Sie empfinden, ich fühle mit – das sind doch alles nur leere Worthülsen, abgegriffen und aufgebraucht, nichts davon dringt wirklich durch.

Und dabei weiß Frau Feldmann das Schlimmste, die eigentlichen Tatumstände ja noch gar nicht. Oder ist das Schlimmste nicht das *wie*, sondern die Tatsache als solche? Und weshalb steht dieser Kerl da und schüttelt den Kopf, als ließe sich der Mord dadurch wieder rückgängig machen? Warum in drei Teufels Namen kümmert er sich nicht gefälligst selbst um seine Frau? Wie sollte Johanna als Wildfremde, dazu noch als Hiobsbotin, trösten können?

Es geht weiter. Für Gefühlsausbrüche bleibt keine Zeit. Hauptkommissar Heyne, offensichtlich froh, daß er die verzweifelte Mutter Johanna hat überlassen können, wendet sich dem Vater zu.

Rasch kramt er pflichtschuldig ein paar hohle Worte hervor – »Wir verstehen Ihren Schmerz nur zu gut« – von vornherein abgewertet durch seinen nüchternen Tonfall. Dann das Wichtige: »Wir müssen Sie leider bitten, die Leiche zu identifizieren. Wenn eventuell nur einer von Ihnen …, Sie selbst vielleicht, meine Kollegin könnte solange bei Ihrer Frau …«

Ganz unerwartet scheint Frau Feldmann aus einer Art Trance zu erwachen.

»Wir fahren beide«, erklärt sie mit fester Stimme. »Das stehen wir zusammmen durch.«

Letzten Endes gehören sie doch zusammmen, eine Frau und ihr Mann, ein Ehepaar, er sucht in stummer Verzweiflung nach ihrer Hand, sie klammern sich in ihrem Schmerz aneinander.

Die Pathologie lehrt jeden Fremden das Fürchten. Die Luft trägt den unbeschreiblichen Geruch des Todes. Kaum daß man die Tür hinter sich geschlossen hat, sehnt man sich bereits wieder hinaus, um dort tief und erleichtert durchzuatmen.

Ringsum kalte Kachelwände in sterilem Gelb, unter den Füßen ein graugefliester Boden aus Steinplatten, der Schritte zu monotonen Klopfgeräuschen verhallen läßt. In der Mitte dieser viereckigen Folterkammer stehen drohend zwei blanke Aluminiumtische, angestrahlt von erbarmungslosen Halogenleuchten, zwei exakt gleiche Arbeitsplätze, jeder für sich hervorragend dazu ausgerüstet, eine Leiche zu zerlegen, ihre geheimsten Geheimnisse zu ergründen. Zwei hochbeinige Roboterspinnen, die auf Opfer lauern, gierige Aasfresser.

Die Pathologen tragen weißes Gummi, lange Schürzen und kniehohe Stiefel. Wer würde da nicht automatisch an einen Schlachthof denken. Das Arbeitsmaterial – die Leichen bewahrt man in riesigen gekühlten Aluminiumladen auf.

Noch hat man das tote Mädchen nicht seziert, die Identifikation muß zuerst vonstatten gehen. So pietätvoll aufgebahrt, wie an so einem Ort überhaupt möglich, erwartet Melanie Feldmann ihre Eltern. Ein schneeweißes, frisch gestärktes Leinentuch bedeckt den nackten Mädchenkörper. Der Chefpathologe, dessen Persönlichkeit hinter der grünen Gesichtsmaske verborgen bleibt, zieht das Tuch beiseite, erstaunlich zartfühlend und geschickt gibt er nur das unversehrte Gesicht preis. Die violettblauen Würgemale am Hals erspart er den armen Eltern. Beschämt von der fürchterlichen Realität senkt er die Augen. Nein, mißbrauchte und erwürgte Mädchen gehören nicht zu seinem Alltag, das hier ist keine Routine, ganz gewiß nicht. Zu Hause wartet seine Tochter, kaum älter als diese Tote. Für seine Wut gibt es gar keine passenden Worte, er erstickt beinahe daran. Der Täter gehört dort auf den Tisch, er, nicht das Mädchen, bei lebendigem Leib sollte man so einen auseinanderschneiden dürfen, ganz langsam, rotes Blut müßte triefen, und der Kerl müßte vor Schmerzen winseln und kreischen – das wäre immer noch zu wenig, wäre immer noch viel zu gnädig für so einen.

Das laute Aufschluchzen der Eltern bedeutet unmißverständlich: Ja, sie ist es. Benommen vor Schmerz lassen sie sich wenig später fortführen.

Während sie draußen ins Polizeiauto klettern, schneidet drinnen ein scharfes Skalpell in totes Fleisch. Auf der Suche nach der Wahrheit.

Um vier Uhr morgens liegt Johanna Lauritz endlich im Bett. Ihre Glieder schmerzen vor Erschöpfung, einschlafen kann sie jedoch nicht. Der Kopf ist hellwach. Unermüdlich projiziert er das Bild des toten Mädchens, es will sich partout nicht wegschieben, nicht abschalten, nicht vergessen lassen. ... die entsetzlichen Schreie der Mutter, als man ihr die näheren Tatumstände geschildert hat, so behutsam wie möglich und dennoch schonungslos. Ist Ihre Tochter jemals belästigt worden, könnten Sie sich vorstellen, daß jemand aus Ihrem Bekanntenkreis sexuelles Interesse an Melanie hatte? Gab es in letzter Zeit irgendwelche sonderbaren Vorfälle? Nein, nein, nein. Keine Spur, kein Anhaltspunkt, nur sprachloses Entsetzen.

Zum Abschied hatte Johanna noch einmal verlegen gemurmelt, wie furchtbar das alles sei. Doch vergeblich, niemand nahm ihre Worte wahr.

Sie kam sich vor wie ein Schläger, der eine häßliche Schlacht geschlagen, ein Inferno angerichtet hat und danach einfach fortgehen darf. Einer, der für die Folgen seines Tuns nicht aufzukommen braucht.

Die Scherben eines Familienlebens, Mutter, Vater und Kind, knirschten unter ihren Füßen, als sie so leise wie möglich die Haustür hinter sich schloß. Sie fühlte sich erbärmlich, ja schuldig, und als sie sich noch einmal umdrehte, fiel auch jetzt noch der warme Lichtschein der Messinglampe auf den Bürgersteig.

Im Ersten Kommissariat war gerade eine Planstelle frei geworden. Weil Oberkommissarin Helga Thom mit dreiundvierzig Jahren noch ganz überraschend ein Baby bekam. Gerechnet haben wir damit nicht mehr, aber wir freuen uns wahnsinnig, hatte Helga strahlend gesagt. Nein, von Mord und Totschlag mag sie vorläufig nichts wissen, jetzt zählt nur noch Moritz, der rund und rosig in seiner Wiege schlummert. Bestimmt gibt sie eine wunderbare Mutter ab. Wenn man es genau nimmt, war Helga für eine Kommissarin bei der Mordkommission sowieso viel zu weich, angeblich konnte sie nicht mal Blut sehen. Man munkelt, sie und Heyne hätten vor Jahren eine Affäre gehabt, und nur deshalb hätte sie sich in seine Abteilung versetzen lassen.

Vera Feldmann schnarcht laut, valiumbetäubt. Um zwei Uhr morgens wurde noch der Hausarzt gerufen, weil die verzweifelte Mutter sich den Kopf an der Schlafzimmertür blutig schlug. Wieder und wieder rammte sie die Stirn dagegen, eine längst vergessene, frühkindliche Verhaltensweise, die sie im Alter von vier Jahren abgelegt hatte, nachdem sie endlich aus dem Kinderheim in eine Pflegefamilie durfte und sich Geborgenheit nicht mehr durch hospitalistische Verhaltensweisen vorgaukeln mußte. Aber in dieser Nacht hat jemand sie aus der Geborgenheit rauskatapultiert; wehrlos ist sie in die rabenschwarze Gefühlswelt ihrer frühen Kindheit abgestürzt. Vera Feldmann hat sich wieder in das verzweifelte, verlassene kleine Mädchen von einst verwandelt. Entsetzt hat ihr Mann Dr. Brenning zu Hilfe gerufen, der das richtige Medikament bei sich hatte. Mein herzliches Beileid, hat er gemurmelt, während er den rechten Arm nach einer geeigneten Vene absuchte. Seither schläft Vera – auf dem Rücken und mit offenem Mund, während Dieter Feldmann seit Stunden hellwach in die Dunkelheit starrt.

Donnerstag

Über Nacht hat sich die Wolkendecke aufgelöst. Kaum zu glauben, wie weit der Himmel sich plötzlich wieder entfernt hat, wieviel Platz es darunter gibt. Die Menschen atmen befreit auf, eine dunkle Last ist ihnen von der Seele genommen. Hoch über ihren Köpfen triumphiert eine strahlendhelle Sonne am makellosen Himmelsblau. Die Zeitungsfrau pfeift fröhlich, während sie die gefalteten Zeitungen in die Briefkästen verteilt, die Bäckersfrau schenkt jedem Kunden ein Gratislächeln. Endlich Sommer, ruft man sich zu, endlich Sommer.

Als der Wecker um sieben Uhr schrill klingelt und damit höchst unfreundlich den neuen Tag einläutet, hat Johanna gerade eben zwei Stunden geschlafen, einhundertzwanzig Minuten, im Ersten Kommissariat muß das manchmal reichen. Vielleicht war die Bewerbung zur Mordkommission doch ein Fehler. Im Betrugsdezernat sind die Arbeitszeiten eher regelmäßig.

Nur sehr widerwillig krabbelt sie aus der wohligen Wärme ihres Bettes und taumelt mit zusammengekniffenen Augen ins Bad. Im Mund gärt der widerliche Nachgeschmack des billigen Rotweins, den sie kurz vor fünf noch als Schlafmittel eingenommen hat, im Kopf die unauslöschbaren abstoßenden Bilder des Mordes.

Johanna bringt höchstens in Ausnahmefällen die Energie auf, stundenlang im Badezimmer an sich herumzuwerkeln, um schließlich top gestylt und auf dezenter Duftwolke aus dem Haus zu schweben. Nach so einer kurzen Nacht ist selbstverständlich gar nicht daran zu denken. Eine eiskalte Dusche, Zähneputzen, ein kurzes Durchpusten der Haare mit dem Fön, ein paar Kleckse Gel, fertig. Sie schlüpft gedankenlos in die erstbesten Klamotten, die sich finden, in eine schwarze Lederjeans und ein dunkelgraues, weites Sweatshirt, dazu rote Lederturnschuhe. Ein Blick aus dem Fenster hat gezeigt, daß der langersehnte Wetterumschwung stattgefunden hat. Das Thermometer zeigt bereits zu dieser frühen Stunde zwanzig Grad an. Irgendwie obzön, daß es nach diesem grausamen Sexualdelikt so einfach Sommer werden kann – als solle demonstriert werden, daß zwischen Himmel und Erde keinerlei Verbindung besteht.

Nach einem ungemütlichem Stehfrühstück hastet Johanna die Treppe hinunter, überschreitet anschließend mit ihrem kleinen Renault sämtliche Geschwindigkeitsbegrenzungen, ausnahmsweise und mit schlechtem Gewissen – und betritt dennoch als letzte das Büro.

Fünf nach acht, die anderen schauen ihr erwartungsvoll entgegen. Hauptkommissar Stefan Heyne besitzt sogar die Unfreundlichkeit, demonstrativ auf seine Armbanduhr zu sehen.

»Dann können wir wohl endlich anfangen«, schießt er in Richtung Johanna, die diesen Verbalangriff mit einem gleichgültigen Blick pariert. Keine Lust, sich wegen fünf läppischer Minuten zu verteidigen.

Der Hauptkommissar, wie stets tadellos gekleidet – heute in hellgraue Bundfaltenhosen und ein pastellgrünes Seidenhemd, über dem Stuhl hängt das farblich perfekt darauf abgestimmte Jackett– erinnert Johanna nicht zum ersten Mal an einen überkorrekten Versicherungsvertreter. Sein dunkles Haar, an den Schläfen leicht ergraut, läßt er regelmäßig sehr kurz schneiden und auch der Schnäuzer, der sein Gesicht beherrscht, wird mit Sicherheit von einem

Friseur in die rechte Form gestutzt. Mitte Vierzig müßte er sein, vielleicht ein paar Jahre älter.

Jetzt erhebt er sich von seinem Stuhl und referiert, wobei sein Blick nacheinander jeden der Anwesenden taxiert:

»Wir haben eine Tote, die offenbar Opfer eines Sexualdelikts ist. Ihre Mutter hat sie gestern als vermißt gemeldet. Wie es aussieht, ist die Kleine seit gestern mittag tot. Man hat sie vermutlich auf dem Nachhauseweg von der Schule ermordet. Ich habe bereits nach ähnlichen Sexualdelikten über den Computer fahnden lassen. In dieser Gegend Fehlanzeige. Wir haben ein paar harmlose Spanner, dann diesen Halbidioten Lohmann, der bei jeder Gelegenheit die Hose fallen läßt, im letzten Jahr drei Anzeigen, weil so ein glatzköpfiger Typ sich mehrfach den Nachtschwestern der Städtischen Klinik gezeigt hat. Von dem haben wir allerdings lange nichts mehr gehört. Das ist alles. Wir fangen praktisch bei Null an. Zunächst brauchen wir die Aussagen der Mitschüler, der Lehrer und der Nachbarn.«

Wenig später rückt die Mordkommission in Zweiergruppen aus. Viel werden sie nicht erfahren. Johanna muß wieder mit Heyne fahren. Immerhin ist sie hier so was wie der Lehrling. Um zehn Uhr sind die ersten Vernehmungen gelaufen. Man trifft sich zur Dienstbesprechung.

Der Chef hat das Wort.

»Ich fasse kurz zusammen, was wir haben. Alle Aussagen der Mitschüler und Lehrer stimmen praktisch überein. Die Tote hat um dreizehn Uhr zehn, gleich nach der sechsten Stunde, zusammen mit den anderen den Klassenraum verlassen. Danach hat niemand mehr sie bewußt wahrgenommen. Irgendwo auf den Fluren verliert sich ihre Spur im Gewühl der nach Hause strömenden Schüler. Niemand weiß etwas von einem geheimnisvollen Unbekannten, der sie vielleicht belästigt hat oder so. Nichts. Absolut nichts. Auch bei den anderen Mädchen hat es keinen verdächtigen Vorfall gegeben. Wie es scheint, suchen wir den großen Unbekannten.« In diesem Moment klopft es an die Tür, ein sehr dezentes Pochen, ganz und gar nicht aufdringlich, aber bestimmt, und die Sekretärin, Frau Samcke, trägt feierlich einen großen braunen Umschlag herein. Garantiert hat sie an der Tür gelauscht, um genau im optimalen Moment auf der Bildfläche zu erscheinen.

»Der Bericht aus der Gerichtsmedizin«, verkündet sie so stolz, als wäre das ihr persönlicher Verdienst.

Ungeduldig reißt Heyne den Umschlag auf, um möglichst rasch an den Inhalt zu gelangen. Mit zusammengezogenen Brauen überfliegt er die dichtbeschriebenen Seiten, während sich sein Gesichtsausdruck zusehends verdüstert. »Ach du Scheiße, ach du große Scheiße …«

Die Spannung im Raum schwillt an wie ein großer Luftballon, den Heyne immer weiter aufpustet mit seinem: Scheiße. Ach du Scheiße. Ratlose Blicke, Schulterzucken …, was kann schlimmer sein als ein vergewaltigtes, ermordetes Mädchen? Vor Johannas geistigem Auge entstehen die Bilder eines sexuell Abartigen, der sein Opfer bestialisch zu Tode gefoltert hat.

Dann die Auflösung.

»Tja, Fehlanzeige«, knurrt Heyne. »Es liegt eindeutig kein Sexualdelikt vor.«

Was??? *Kein* Sexualdelikt! Am liebsten würde Johanna laut aufjubeln. Also hat die Sonne doch das Recht, so strahlend hell zu scheinen. Nicht vergewaltigt! Das wenigstens ist der Kleinen erspart geblieben. Die Männer scheinen ihre Freude übrigens nicht zu teilen. Die Stimmen schwirren durcheinander, nicht ohne Empörung, daß ihr Grundgerüst aus Annahmen und Vermutungen unversehens in sich zusammengefallen ist. Man muß ganz neu überlegen.

»Melanie Feldmann wurde nicht vergewaltigt! Das Ausziehen des Mädchens sollte offenbar nur ein solches Delikt vortäuschen. Um die Spur vom Mörder, vom Motiv abzulenken. Und das Motiv hat die Gerichtsmedizin uns gleich mitgeliefert. Die junge Dame war nämlich im dritten Monat schwanger.«

»Olala, gerade erst fünfzehn und schon schwanger«, wirft Edgar Lohse, seines Zeichens Oberkriminalmeister und Frauenverächter, ein. Lohse ist nach Feierabend überzeugter Bodybuilder, einer von der Sorte, die so schwer an ihrer Männlichkeit zu tragen haben, daß sie an manchen Tagen kaum geradeaus laufen können. Gern trägt er seinen gestählten Körper zur Schau. In hautengen Muskelshirts und knackigen Jeans. »Fangen früh an, die Girls, immer früher«, fügt er genüßlich grinsend hinzu, seine nicht jugendfreien Gedanken stehen ihm deutlich ins Gesicht geschrieben.

»Gehen wir also davon aus, daß der Vater des Kindes sie aus Furcht vor Entdeckung umgebracht hat«, meldet sich Roland Bierwirth mit ruhiger Stimme zu Wort.

Kriminalkommissar Roland Bierwirth ist auch noch nicht lange dabei. Bis vor drei Monaten hat er bei der Kripo Düsseldorf gearbeitet, hauptsächlich im Bereich Drogenfahndung. Blonde Haare, dunkelbraune Augen, schlank und groß, ein Mann fürs Auge. Kürzlich hat Johanna einen heimlichen Blick in seine Personalakte geworfen. Einunddreißig, zwei Jahre jünger als sie selbst. Leider außerdem auch verheiratet und Vater zweier Kinder. Pech.

Heynes Vortrag ist noch nicht zu Ende.

»Wir streichen also die ganzen Perversen und Halbperversen und suchen einen möglichen Vater für das Kind. Sie wurde, wie wir wissen, nicht am Tatort erwürgt. Uns fehlt ergo der eigentliche Tatort. Die Spurensicherung ist da noch am Ball. Der Zeitpunkt des Todes, dreizehn Uhr plus-minus eine Stunde, spricht auf jeden Fall dafür, daß sie ganz in der Nähe erdrosselt wurde. Kaum vorstellbar, daß jemand am hellichten Tag eine Leiche durch die halbe Stadt transportiert. Fotos der Toten haben wir inzwischen auch. Zwei Leute grasen die Gärtner und Parkwächter ab. Dann die Spaziergänger, vor allem sämtliche Hundebesitzer. Die gehen in der Regel täglich denselben Weg mit ihren Kötern. Als Zeugen sind die meist ganz brauchbar. Wer kennt die Kleine, hat sie vielleicht mal mit einem Jungen gesehen. Jemand fährt zur Schule und interviewt noch mal die Mitschüler und Lehrer. In dem Alter hat man eine allerbeste Freundin. Die müßte doch wissen, mit wem die Kleine was hatte. Das machen Edgar und Roland! Johanna fährt mit mir zu den Eltern. Die werden froh sein, daß ihre Tochter keinem Sexualtäter zum Opfer gefallen ist. Normalerweise müßten die ja auch eine Ahnung haben, von wem das Kind sein könnte.«

Johanna fährt mit mir – keine Frage, ein Befehl.

Unterwegs erörtert Heyne seine bisherigen Überlegungen. »Ich denke, das schlechte Wetter war ihr Verhängnis. Normalerweise ist der Park um diese Zeit gut besucht, aber vorgestern hat es fast den ganzen Tag in Strömen geregnet. Da waren die beiden garantiert allein auf weiter Flur. Ich stelle mir das folgendermaßen vor: Die beiden sind verabredet, sie berichtet von der Schwangerschaft, er will nichts davon wissen, sie setzt ihn unter Druck, droht ihm mit weiß Gott was, zufällig ist weit und breit keine Menschenseele zu sehen, da erwürgt er die Kleine. Im Affekt, würde ich sagen. Logisch, daß der Mann in Panik war. Jeden Moment konnte ein unerwünschter Zeuge auftauchen. Also zerrt er sie ins nächste Gestrüpp. Dann kommt ihm die Idee mit dem vorgetäuschten Sexualdelikt. Nicht allzu gut überlegt, das Ganze, von dem Schlaumeier. Daß es heutzutage eine Gerichtsmedizin gibt, die solche Dinge aufklärt, müßte eigentlich jeder Trottel wissen. Vielleicht war es ein Mitschüler. Wenn die Kleine tatsächlich so behütet aufgewachsen ist, nie weg durfte, hatte sie ja praktisch gar nicht die Möglichkeit, jemand anderen kennenzulernen. Ja, ein Mitschüler vielleicht …«

Eine unsympathische Vorstellung. Daß ein Minderjähriger kaltblütig seine Freundin erdrosselt, nur wegen einer ungewollten Schwangerschaft.

Vor der Haustür schlägt Heyne ihr ganz unerwartet vor, selbst das Verhör zu führen. Im Grunde ist auch das ein Befehl, diesmal ausnahmsweise etwas netter vorgebracht. Egal, Johanna willigt ein. Mit möglichst neutraler Stimme allerdings, so als hätte sie gar nichts anderes erwartet.

Bei Tageslicht betrachtet, wirkt der Bungalow ein wenig ärmlich. Die Fenster hätten dringend einen neuen Anstrich nötig, die Gardinen scheinen auch schon länger zu hängen, die grauen Betonplatten, die zur Haustür führen, haben teilweise Risse. Eine weiße Pflanzschale aus Hartplastik enthält drei kümmerliche Geranien. Ob die vor drei Tagen auch schon so ausgesehen haben?

Frau Feldmann hat sich verändert. Kleiner, blasser, älter als gestern öffnet sie die Tür. Eine Mutter ohne Kind, gekleidet in düsteres Schwarz.

»Kommen Sie nur herein.«

Mit müden, schleppenden Schritten, den Kopf gesenkt, geht sie voran ins Wohnzimmer, die verkörperte Hoffnungslosigkeit. Johannas Herz zieht sich schmerzhaft zusammen.

»Haben Sie herausgefunden, wer das getan hat?« Eine mehr rhetorische Frage; Vera Feldmanns mutloser Tonfall verrät, daß sie die Antwort bereits kennt. So schnell findet man keinen Mörder.

»Nein, leider nicht. Aber es haben sich neue Aspekte erge-

ben. Und deshalb müssen wir Sie noch einmal befragen.«
Ganz automatisch senkt Johanna die Stimme. Sie spürt, daß
die Frau in Schwarz nur mühsam ihre Tränen zurückhält.
Jedes laute Wort würde sie unweigerlich aus der Fassung
bringen. Und um nichts in der Welt möchte Johanna diese
Frau noch mehr verletzen. Behutsam streicht sie mit den
Fingerspitzen über die weiße, erschreckend kalte Hand.
»Frau Feldmann, wir müssen Ihnen noch etwas sagen …«
»Noch was?« fährt die Angesprochene mit harter Stimme
dazwischen. »Was könnte noch schlimmer sein, als eine
ermordete Tochter?« Und die Tränen gewinnen den stum-
men Kampf, Vera Feldmann bricht in lautes, anklagendes
Schluchzen aus. Es fehlt wahrhaftig nicht viel, und Johanna
würde mit ihr weinen. Mühsam ringt sie um Fassung, und
es dauert eine kleine Ewigkeit, bis sie ihre Stimme so weit
unter Kontrolle hat, um ihren Text vorzubringen.
»Die gerichtsmedizinische Untersuchung hat ergeben, daß
Melanie gar nicht mißbraucht wurde … nicht vergewaltigt!«
Keine erfreute Reaktion. Genaugenommen gar keine Reaktion. Nichts.
»Aber etwas anderes ist auch dabei rausgekommen, etwas,
das Sie vielleicht erschrecken wird. Ihre Tochter war im
dritten Monat schwanger.« Wie schwer es Johanna fällt, dies
zu sagen. Verlegen weicht sie dem Blick der Mutter aus,
klammert sich wieder an die verirrte Prinzessin, die wunderschöne Tiffanylampe über dem Tisch.
Vera Feldmanns Reaktion muß wohl als Versuch gewertet
werden, sich in irgendeiner Form gegen diese Art von Infor-
mation zu wehren.
»Sie lügen«, kreischt sie schrill. »Das haben Sie sich alles nur
ausgedacht. Meine Melli war noch ein Kind, nie im Leben
war die schwanger! Wenn ich gewußt hätte, daß Sie solche
Gemeinheiten in die Welt setzen, hätte ich nie erlaubt, daß

Sie an meinem Kind rumschnippeln! Verlassen Sie auf der Stelle mein Haus! Ich lasse nicht das Andenken meiner toten Tochter in den Dreck ziehen!«

Johannas beschwörendes »Frau Feldmann, so beruhigen Sie sich doch. Ich bitte Sie, wir verstehen ja, daß Sie aufgeregt …« geht in einem Trommelfeuer von Worten unter.

»Raus hier, raus! Meine Tochter war noch ein Kind, ein liebes, zuverlässiges Mädchen. Und ihr wollt sie zu einer Rumtreiberin machen! Schon als ich die Vermißtenmeldung aufgegeben hab, war es so! Ich verbiete mir das, ich lasse das nicht zu!«

Hilflos schaut Johanna auf Hauptkommissar Heyne, der zuckt nur die Achseln, mit unbewegtem Gesicht. Sieh selber zu, wie du da rauskommst, soll das wohl heißen. Das hier ist dein Verhör …

»Frau Feldmann, bitte, es ist doch so wichtig. Wir brauchen Ihre Unterstützung …«, bettelt Johanna.

Aussichtslos, die Verbindung ist gekappt, die Frau hat sich in blinde Hysterie geflüchtet, unansprechbar und dadurch in gewisser Weise unverletzbar. Raus hier, raus! Verschwindet alle!

In diesem Moment, der so schrecklich, so unendlich peinlich für Johanna ist, der sie an sich selbst, an ihren Fähigkeiten als Kriminalbeamtin zweifeln läßt, dreht sich der Schlüssel in der Haustür. Welch ein wunderbar alltägliches Geräusch, der Ehemann kommt nach Hause. Johanna springt erleichtert auf, fällt dem überraschten Herrn Feldmann beinahe in die Arme.

»Ich glaube, wir brauchen einen Arzt für Ihre Frau!«

Wieder muß der Arzt helfen. Niemand sonst kann die Frau beruhigen. Erst die rasch gesetzte Valiumspritze sorgt für Stille. Eine unnatürliche Stille, die so plötzlich eintritt, daß die Anwesenden erstaunt blinzeln. Sehr viel später wird

Johanna einfallen, daß dieser Dr. Brenning ja der Exmann ihrer Vermieterin ist. Doch zu ihrem Ärger wird sie sich an nichts Konkretes mehr erinnern können, weder an seine Haarfarbe noch an sein Gesicht, nicht einmal an seine Größe. Höchstens an seine schmalen Hände, die mit schlafwandlerischer Sicherheit die Spritze aufziehen, die Haut desinfizieren und die Nadel mit kurzem Ruck einstechen. Und an seine langweilig monotone Stimme.

Feldmann möchte gern wissen, was seine Frau derart aus der Fassung gebracht hat.

Da Stefan Heyne weiterhin beharrlich schweigt, muß Johanna erklären, insgeheim darauf gefaßt, daß Feldmann sie ebenfalls lautstark beschimpfen und der Lüge bezichtigen wird.

»Wir mußten Ihrer Frau einen neuen Schock versetzen. Leider. Ich habe mich wirklich bemüht, einfühlsam vorzugehen, aber es hat nichts geholfen«, entschuldigt sie sich mit brüchiger Stimme. »Melanie war schwanger. Aber sie wurde wenigstens nicht vergewaltigt. Es liegt kein Sexualdelikt vor. Der Täter hat das nur vortäuschen wollen. So wie es aussieht, müssen wir davon ausgehen, daß der Mörder der Vater des Kindes war. Deshalb ist es ungeheuer wichtig, mit wem Melanie Umgang hatte. Wer könnte Vater ihres Kindes sein?«

»Unsere Melli schwanger! Wie kann ein Kind schwanger sein?« murmelt er vor sich hin, völlig fassungslos. »Schwanger!«

Auf Johannas Bitte hin nennt er noch die Namen aller Freundinnen, vielleicht wissen die ja mehr über seine Tochter, als er selbst, als seine Frau.

Der Sommer hat sich im Auto verbarrikadiert. Die angestaute Hitze schlägt den Beamten entgegen, als sie die Türen öffnen. Die Polster glühen förmlich. Es ist so unerträglich heiß, daß man alle Scheiben herunterkurbeln muß. Trotzdem kleben die Kleider schon nach wenigen Minuten am Körper. Wütend blinzelt Johanna die Sonne an. Warum konnte sie vorgestern nicht so scheinen? Dann wäre dieser Mord niemals geschehen. Heute ist im Stadtpark garantiert die Hölle los. Heute kann niemand unbeobachtet morden. Der erste Schuldige ist gefunden. Die Sonne.

Zunächst herrscht Schweigen. Johanna ärgert sich maßlos über sich selbst, über dieses mißratene Verhör, über die typisch weibliche Verhaltensweise, die Schuld bei sich selbst zu suchen, und nicht zuletzt über den Hauptkommissar, der dieses Fiasko mit unbewegter Miene genossen hat. Auf dem Parkplatz vor dem Präsidium beginnt Heyne ein Gespräch, leider in seinem typischen Oberlehrerton, der nichts anderes als Widerspruch provoziert.

»Ich habe Sie ganz absichtlich allein reden lassen. Denn normalerweise werden Sie Ihre Vernehmungen ja künftig auch allein führen. Möglicherweise interessiert Sie mein Rat auch gar nicht, doch ich sage trotzdem mal, was ich nicht in Ordnung fand. Sie waren viel zu emotional. Es bringt überhaupt nichts, den Angehörigen so viel Mitgefühl entgegenzubringen. Dadurch, daß wir eine gewisse Distanz aufbauen, geben wir ihnen nämlich die Möglichkeit, ebenfalls die Fassung zu bewahren. Sie brauchen unsere Sachlichkeit, um sich daran festzuhalten. Ehrlich. Hätten Sie Frau Feldmann gleich knallhart die Fakten präsentiert, hätte sie sich vielleicht beherrschen können, und uns wichtige Antworten gegeben. Sie haben sich ja beinahe verantwortlich gefühlt für Melanies Schwangerschaft, so hat es sich jedenfalls angehört. Als ob Sie sich bei der Mutter für die Wahrheit entschuldigen müßten. Und später haben Sie sich beim Vater für den Zusammenbruch seiner Frau entschuldigt.«

Augenblicklich fallen Johanna Helgas warnende Worte

ein: Wehr dich von Anfang an! Und sie erklärt mit fester Stimme, daß sie keinesfalls gewillt sei, im Dienst ihre Persönlichkeit zu verleugnen. Und daß sie bisher mit ihrer Art, Vernehmungen zu führen, durchaus erfolgreich gearbeitet habe.

Beleidigt kneift Heyne die Lippen zusammen. Er dreht sich um und spurtet mit Riesenschritten über den Parkplatz. Johanna läßt er einfach stehen.

Als Greta Wollien nach Hause kommt, findet sie im Kasten einen Brief, was höchst selten vorkommt. Gut möglich, daß er schon ein paar Tage dort liegt, sie rechnet normalerweise nicht mit Post und schaut längst nicht jeden Tag nach. Nachdenklich dreht sie den Umschlag in den Händen, öffnet ihn schließlich achselzuckend.

Um Reklame scheint es sich ausnahmsweise nicht zu handeln. Nein … eine Einladung zum Klassentreffen. Nicht zu glauben, daß alles schon zehn Jahre her sein soll. Klassentreffen. Sie wird hingehen, natürlich. Obwohl sie nicht viel vorzuweisen hat. Keinen Mann, kein Kind, nicht mal einen tollen Beruf. Greta steht am Band, für zwölf Mark die Stunde. Keine große Karriere für eine Realschülerin. Egal. Sie wird sich so anziehen, daß keiner von den anderen die Wahrheit erraten kann. Schicke Klamotten vertuschen so einiges. Nicht umsonst ist ihr Schrank voll davon.

Natürlich weiß sie längst, daß diese Melanie Feldmann ermordet worden ist. Im Stadtpark erdrosselt und vorher vergewaltigt, eine schreckliche Geschichte. Im Geschäft gab es ja praktisch kein anderes Gespächsthema. Natürlich weiß sie auch, daß Robert und Melanie sich seit der Kindergartenzeit kennen, daß sie dieselbe Klasse besuchen, daß sie sogar zwei- oder dreimal Hausaufgaben miteinander gemacht haben. Und dennoch, auf Tränen war sie nicht gefaßt.

Aus verquollenen Augen schaut er ihr kummervoll entgegen, ein kleiner, unglücklicher Junge von fünfzehneinhalb Jahren.

»Hast du schon gehört, Mutti? Die Melanie Feldmann ist tot, ermordet«, schluchzt er auf. »Die Polizei war heute in der Schule …«

Und sie kann gar nicht anders, als ihn in die Arme zu schließen, ihn zu wiegen, ganz sacht, als wäre er wieder vier Jahre alt, ihr kleiner Junge, der sich die Knie aufgeschlagen hat und getröstet werden will. Und er läßt sich diese Zärtlichkeit widerstandslos gefallen, zum ersten Mal seit vielen Jahren.

»Ich weiß Bescheid«, haucht sie in sein Ohr. »Ich bin genauso traurig wie du.« Robert findet nicht mal die Kraft, dieser offensichtlichen Lüge zu widersprechen. Sie kannte doch diese kleine Feldmann praktisch gar nicht, höchstens vom Sehen.

Robert Peschel ißt nicht zu Mittag, den Rest des Tages spricht er kaum noch ein Wort, starrt nur die Wand in seinem Zimmer an.

Er klinkt sich aus, verkriecht sich völlig in sich selbst, wie seine Mutter es ihrer besten Freundin am Telefon schildert. Was soll ich bloß machen, der Junge ist völlig aus dem Gleichgewicht geraten. Mein Gott, so dick waren die doch auch nicht befreundet!

Das Kollegium der Realschule versammelt sich nach der vierten Stunde zu einer hastig einberufenen Dienstbesprechung im Lehrerzimmer. Die Schüler hat man nach Hause geschickt. Die völlig unerwartete Sommerhitze bot die günstige Gelegenheit, sich aller Unterrichtsverpflichtungen zu entledigen. Hitzefrei. Die Lehrer haben heute andere Sorgen.

Theatralisch ringt Dr. Hermann Prock, der Rektor, die Hände. Schweiß perlt auf seiner Stirn, den er von Zeit zu Zeit mit einem blaukarierten Taschentuch fortwischt. Diese Geschichte macht ihn regelrecht krank. Seit die Kriminalpolizei ihn über die näheren Tatumstände informiert hat, quält ihn ein leichter, doch stetiger Druckschmerz direkt über dem Brustbein, und gleichzeitig klopft sein Herz wie wahnsinnig, so als hätte es beschlossen, jeden Moment den Brustkorb zu sprengen, sein ganzer Körper scheint unter diesen heftigen Schlägen zu erzittern.

»Das wirft ein furchtbares Licht auf diese Schule. *Furchtbar!*« Er schüttelt sich. »Ich bin entsetzt. Ich weiß nicht, was ich dazu sagen soll. Eine unserer Schülerinnen ermordet, direkt nach Schulschluß. Möglicherweise von einem Mitschüler, so hat die Polizei es mir jedenfalls vorhin mitgeteilt. Das ist geradezu unvorstellbar!«

Am liebsten hätte er noch hinzugefügt, daß er schließlich nur noch ein halbes Jahr im Schuldienst verbleiben wird und daß er so ein unrühmliches Ende weiß Gott nicht verdient habe. Ein Mord an seiner Schule, sechs Monate vor seiner Pensionierung, das ist wie eine persönliche Beleidigung. Ein Schlag ins Gesicht für jemanden, der sich beinahe vierzig Jahre lang für die Kinder hier aufgeopfert hat. Aber vielleicht wird er seine Pensionierung ja gar nicht mehr erleben. Möglicherweise kündigt dieser brennende Schmerz über der Brust einen Herzinfarkt an. Und er beschließt, noch am selben Tag seinen Hausarzt aufzusuchen. Mit hochrotem Kopf fällt Dr. Prock auf seinen dunkelgrün bezogenen Stuhl zurück. Ein kleiner dicker alter Mann, der die Welt nicht mehr versteht, der sich verraten fühlt und um die Früchte seiner vierzigjährigen Arbeit betrogen. Ein

Mord, gewissermaßen vor seinem Schultor, einfach unglaublich ist das.

Zu seiner Linken schluchzt Silvia Vehn-Becker, die Klassenlehrerin, unentwegt vor sich hin. Unfähig, auch nur ein einziges klares Wort hervorzubringen, versteckt sie sich hinter einem weißen Taschentuch. Was interessiert sie dieser Mörder? Melanie ist tot. Grausam ermordet. Schwanger war sie und niemand hat davon gewußt. Wie verzweifelt muß das arme Mädchen gewesen sein. Warum hatte sie kein Vertrauen? Habe ich etwas übersehen, etwas falsch gemacht? Wenn sie sich doch nur anvertraut hätte.

Der Mathematikspezialist Volker Altmann, momentan der jüngste Kollege im Haus, wie immer zu nachlässig gekleidet, in Jeans und Sweatshirt, dazu die obligatorischen, nicht mehr ganz weißen Turnschuhe, während die älteren Lehrer sich trotz der Sommerhitze durchweg für einen Anzug entschieden haben, der Mathelehrer Altmann also, logisch und analytisch denkend wie immer, schüttelt mißbilligend den Kopf.

»Die Polizei hat doch keinerlei Beweise. Die stricken sich notgedrungen eine einigermaßen logische Geschichte zusammen. Alles mehr oder weniger frei erfunden. Fest steht ja wohl nur, daß die Schülerin Melanie Feldmann schwanger war. Und daß der Vater des Kindes sie höchstwahrscheinlich ermordet hat. Mehr nicht. Wieso sollte das ausgerechnet einer unserer Schüler gewesen sein? Am Ende kann genausogut rauskommen, daß jemand ganz anderes der Täter war. Ich kann mir kaum vorstellen, daß ein Jugendlicher so bestialisch vorgeht!«

Unerwartet trifft ihn vom Kopf des Tisches ein dankbarer, um nicht zu sagen zärtlicher Blick. In diesem einen Fall will Dr. Prock nur zu gern die Worte des jungen Kollegen, die er ansonsten häufig anzweifelt, glauben.

Ein Mann von etwa fünfzig Jahren, ganz genau sind es vierundfünfzig, einer, dessen angespannte Körperhaltung schon verrät, daß er nicht auf Pensionierung, sondern auf Beförderung wartet, Konrektor Hilmar von Strack, kontert mit kühlem Lächeln.

»Ich denke, wir sollten den Tatsachen ins Auge sehen. Eine Schülerin, eine, wie wir alle wissen, schüchterne und zurückhaltende Schülerin wird hier ermordet. Direkt nach Unterrichtsschluß. Die Leiche findet man fünf Minuten vom Schulhof entfernt. Sie war schwanger, womit gewiß niemand von uns gerechnet hätte. Seien wir mal ganz ehrlich: Daß ein halbwegs erwachsener Mann sich für Melanie Feldmann interessiert haben könnte, erscheint doch absurd. Tut mir leid, aber ein Mitschüler als Täter ist doch wohl mehr als wahrscheinlich.«

Seine energischen Worte lassen Dr. Prock sogleich wieder mutlos in sich zusammensinken. Ja, es hilft alles nichts, man muß den Dingen ins Auge sehen, die Polizei wird wohl am Ende recht behalten mit ihrer scheußlichen Vermutung.

Gut, daß es noch einige organisatorische Dinge zu besprechen gibt. Man entscheidet, die Klasse 9 a geschlossen zur Beerdigung zu schicken. Das Lehrerkollegium sammelt Geld für einen Kranz und eine Anzeige in der Zeitung. Über den genauen Wortlaut berät man beinahe eine halbe Stunde. Endlich etwas, das man tun kann. Für die Eltern, für sich selbst, für das Bild der Schule in der Öffentlichkeit.

Die Mordkommission ermittelt fieberhaft. Eine Fülle von Informationen, unsortiert, wandert in einen riesigen Topf, es brodelt und kocht, Hauptkommissar Heyne rührt mit hochrotem Kopf darin herum, doch es kristallisiert sich beim besten Willen kein echtes Verdachtsmoment heraus. Ärgerlich blättert er in der Spurenakte, zahllose Vernehmungen und kein greifbares Ergebnis. Seit achtundvierzig Stunden ist das Mädchen tot, die Chance, den Täter noch zu ermitteln, schrumpft von Stunde zu Stunde, rein statistisch gesehen. Keine einzige heiße Spur, und die Zeit läuft ihnen davon.

Auch Johanna grübelt. Irgendwas stimmt an diesem Fall hinten und vorne nicht, aber was? Es ist, als wollte man zwei völlig unterschiedliche Puzzles miteinander verbinden. Hier ein paar Teile, die sich nahtlos zusammenfügen, dort ein paar Fragmente, die passen. Doch es will absolut nicht gelingen, alle Informationen zu einem Bild zusammenzusetzen. Immer wieder paßt das eine oder andere überhaupt nicht dazwischen.

Auf der einen Seite Melanie, ein stilles, unscheinbares Mädchen, die nie ausgeht, die keinen Freund hat. Auf der anderen Seite eine Fünfzehnjährige, die im dritten Monat schwanger ist und möglicherweise versucht hat, den Kindesvater damit unter Druck zu setzen. Hat diese Melanie ein geheimnisvolles Doppelleben geführt? Und wenn ja, wann? Angeblich hat sie ihre Zeit nur in der Schule oder zu Hause verbracht.

Mit einem opulenten Mittagsmahl bei ihrem Lieblingsitaliener hat Johanna sich über das mißratene Verhör der Mutter hinweggetröstet. Eine Minestrone, danach ein großer Salatteller, als Hauptgericht grüne Bandnudeln in Käsesauce, zum Abschluß ein leckeres Eis, dazu ein Viertelliter Bardolino. Und siehe da, die Dinge haben sich wieder relativiert. Wer sagt denn überhaupt, daß der Heyne mehr erfahren hätte, oder daß Frau Feldmann bei ihm nicht genau den gleichen hysterischen Anfall bekommen hätte? Genaugenommen, steht dieser armen Frau so ein Zusammenbruch sogar zu.

Kurz nach fünfzehn Uhr ruft Feldmann im Präsidium an

und entschuldigt sich formell für das Benehmen seiner Frau. Nein, ihres Wissens nach hatte Melanie keinen festen Freund. »Wir können uns überhaupt nicht vorstellen, von wem sie schwanger gewesen ist. Ehrlich nicht. Wir sind fassungslos … Das einzige, was uns dazu einfällt, ist, daß Melanie vor etwa zehn Wochen auf Klassenfahrt war. Wäre das eine Möglichkeit?«

Alarmstufe rot. Die erste heiße Spur. Zehn Wochen. Eine rasche Anfrage bei der Gerichtsmedizin bestätigt, daß dieses Kind, das seine junge Mutter höchstwahrscheinlich das Leben gekostet hat, vor etwa zehn Wochen gezeugt worden ist. Ein spürbarer Ruck geht durch den Raum, Erleichterung breitet sich auf den Gesichtern aus, Heyne lehnt sich in seinem Stuhl zurück, zündet sich eine Zigarette an und inhaliert genüßlich das Nikotin. Na bitte, die Klassenfahrt also. Endlich etwas, an das man sich halten, in dem man herumstochern, herumwühlen kann.

Der General schickt erneut seine Soldaten aus.

Zuerst die Klassenlehrerin.

Silvia Vehn-Becker, die sich vor einer Stunde mit zwei Schlaftabletten ins Bett zurückgezogen hat, um wenigstens für eine Weile den quälenden Gedanken an diesen Mord und den damit verbundenen Selbstvorwürfen zu entrinnen, und die gerade erst in den ersehnten Tiefschlaf gesunken ist, wird per Türklingel gnadenlos in die Realität zurückbefohlen. Ein paar Minuten verharrt sie regungslos im Bett, kneift die Augen zusammen, voller Hoffnung, daß der Störenfried aufgeben wird. Doch der denkt gar nicht daran. Dingdong. Dingdong ohne Ende.

Erbost stapft sie zur Tür, die Haare vom Schlaf zerzaust und nur mit einem leichten Morgenrock bekleidet. Ihre blauen Augen blitzen angriffslustig. Schon wieder die Kripo. Schon wieder Fragen über Melanie. Damit sie ja nicht ihr eigenes

Versagen vergißt! Diesmal also geht es um die Klassenfahrt. Seufzend gibt sie Auskunft.

»Tut mir leid, ich kann Ihnen da nicht weiterhelfen. Melanie und schwanger, das ist einfach unvorstellbar. Sie war noch so absolut kindlich. Es gab keinen festen Freund, von dem ich weiß. Auf der Klassenfahrt ist mir bestimmt nichts Derartiges aufgefallen. Ehrlich. Ich sehe sie immer noch vor mir stehen, inmitten der anderen Mädchen, still und zurückhaltend, nicht besonders vorteilhaft gekleidet, wenn man ganz ehrlich ist. Ich möchte mal sagen, sie hatte sich noch gar nicht als Frau entdeckt. Bei unserem Diskobesuch am letzten Abend hat sie beispielsweise kein einziges Mal getanzt, das weiß ich ganz genau. Sie war als einzige ungeschminkt, trug ihr Haar so schlicht wie immer, sah eben ganz gewöhnlich aus. Fragen Sie nicht, wie die anderen sich herausgeputzt haben. Aber Melanie hatte offensichtlich keine Lust zu so was. Überhaupt, der ganze Abend hat ihr keinen Spaß gemacht, das konnte man deutlich merken. Sie nippte stundenlang an einer einzigen Cola. Ich glaube, sie war sehr froh, als es wieder Richtung Jugendherberge ging.«

Die Mitschülerinnen, die in alphabetischer Reihenfolge eine nach der anderen zu Hause aufgesucht werden, drucksen verlegen herum. (Die Jungs läßt man aus, offenbar hatte Melanie keinen Kontakt zu Mitschülern.) Nein, einen richtigen Freund hatte die garantiert nicht. Ihre Eltern waren wahnsinnig streng, die Melli durfte abends überhaupt nie weg. Auf der Klassenfahrt gab es auch nichts Verdächtiges. Keine hat die Melli jemals mit einem Jungen gesehen. Eines der Mädchen kichert albern bei dieser Vorstellung.

»Gab es vielleicht einen, den sie besonders gern mochte?« tastet Kriminalkommissar Bierwirth sich behutsam vor. Irgendein Name scheint in der Luft zu schweben, doch das

Mädchen vor ihm hat offensichtlich Angst, einen Mitschüler zu nennen und damit zu belasten. Aus ihrer Sicht nur zu verständlich.

»Alles, was du sagst, bleibt geheim. Niemand wird davon erfahren. Aber du mochtest die Melanie doch gern, wart ihr beide nicht sogar Freundinnen?«

Gewonnen. »Den Robert Peschel, den mochte sie gern. Die beiden haben manchmal zusammen Hausaufgaben gemacht ...«, flüstert sie. Und dann, erschrocken über sich selbst, über den Namen, den sie laut ausgesprochen hat, über den Verrat, beschwört sie den Polizisten, der so sympathisch ausschaut, daß man Dinge tut, die man gar nicht will:

»Aber der war es garantiert nicht, der nicht. Der Robert, der kann jede haben. Für den war die Melli gar nicht interessant genug!«

Wie sollte sie auch ahnen, daß gerade diese letzten Worte den Schüler Robert Peschel verdächtig machen.

Gegen neunzehn Uhr dreißig kehren die emsigen Bienen wieder in den Stock zurück. Mitgebrachte Aussagen werden vorgelesen, miteinander verglichen, sorgfältig auf eventuelle Ungereimtheiten überprüft.

Als erster nennt Roland Bierwirth den Namen Robert Peschel.

»Den hab ich auch«, fällt Edgar Lohse ihm ins Wort. »Zwei von meinen« – er meint die Schülerinnen, die er zu vernehmen hatte – »haben auch von diesem Peschel gesprochen. War wohl ihre heimliche Liebe. Ist angeblich so'n ganz Stiller. Geheimnisvoll, hat eine mit verklärtem Blick gesagt. Das soll es ja geben. Diese schüchternen, verklemmten Jungs, die mit ihrer Sexualität nicht klarkommen. Urplötzlich flippen solche Typen mal aus ...«

Er springt auf, schaut gehetzt um sich, stürzt dann auf ein imaginäres Opfer, seine Hände pressen sich zuckend zusammen, während sein ohnehin nicht besonders sympathisches Gesicht sich zu einem diabolischen Grinsen verzerrt.

»Spricht eigentlich alles gegen den Knaben. Hat mal was mit ihr gehabt, zum Beispiel auf der Klassenfahrt, braucht ja niemand gesehen haben. Die zwei treffen sich mitten in der Nacht, 'ne kleine Nummer auf dem Mädchenklo, nichts Ernstes von seiner Seite – und dann, peng, ist die Kleine schwanger. Er will nichts davon wissen, sie zeigt sich plötzlich von einer ganz neuen Seite, wird zickig, will womöglich geheiratet werden – da knallen bei ihm alle Sicherungen durch. Er bringt sie kurzerhand zum Schweigen!«

»Tja, wenn du das noch beweisen könntest, wäre der Fall gelöst«, knurrt Heyne unfreundlich. Offenbar legt er keinen Wert auf solche schauspielerischen Einlagen. Da immerhin teilt Johanna seine Meinung voll und ganz. »Tatsächlich haben wir hier einen Mitschüler, der ab und zu Hausaufgaben mit der Ermordeten gemacht hat. Mehr nicht. Das macht ihn noch lange nicht tatverdächtig. Diese Melanie Feldmann war übrigens im Badmintonverein. Da müssen wir unbedingt noch nachhaken. Das macht Roland. Und ich fahre zusammen mit Johanna zu diesem Peschel.« Heyne ist wieder voll in seinem Element.

Erneutes Ausschwärmen.

»Sie die Mutter, ich den Sohn. Gleichzeitig. Okay?« Ein Vorschlag zur Güte. Ganz neutral, nicht der kleinste gehässige Unterton ist herauszuhören, obwohl Johanna zugegebenermaßen darauf lauert. Also Status quo, in Ordnung, damit kann man leben.

Christine Peschel kann nicht viel älter als Johanna sein, sie ist mittelgroß und sehr schlank, beinahe schon mager, aber durchaus attraktiv. Das schwarze Haar trägt sie kurz geschnitten, der Pony fällt fransig in die Stirn, was ihre aparten

Gesichtszüge mit den stark ausgeprägten Backenknochen sehr vorteilhaft zur Geltung bringt. Zu schwarzen Leggings hat sie ein langes, naturfarbenes Leinenhemd angezogen, ihre goldenen Sandalen haben keine Absätze. Eine interessante Frau, schießt es Johanna sofort durch den Kopf, zu stark geschminkt allerdings, knallrote Fingernägel, der dazu passende Lippenstift, viel Rouge und viel hellgrauer Lidschatten. So viel Aufhebens hätte sie bestimmt nicht nötig.

Mit gerunzelten Brauen mustert Christine Peschel zuerst die Dienstausweise und dann die dazugehörigen Menschen. Johanna besteht die Prüfung leider nicht, offenbar findet Frau Peschel, daß eine Kripobeamtin keine abgewetzten Lederjeans tragen sollte.

»Ich kann mir nicht vorstellen, was Sie von mir wollen. Aber treten Sie doch näher«, fordert sie die beiden schließlich kühl auf und gibt damit widerwillig den Weg in ihr Privatleben frei.

Eine helle Wohnung, großzügig und sehr geschmackvoll eingerichtet, man könnte sagen extravagant. Weiße Wände, ein fast weißer Teppichboden, eine kleine Wildledercouch in Bordeaux, äußerst dekorativ eingerahmt von zwei zimmerhohen Feigenbäumen. Drei Rattansessel mit rotgold gestreiften Sitzkissen aus Brokat, ein runder Tisch mit Glasplatte, vier oder fünf Bücherregale neben der Tür und als Blickfang vor dem Fenster eine lockere Gruppe aus hohen Palmen und anderen südlichen Gewächsen, deren Namen Johanna nicht kennt, allesamt in wunderschöne Terrakottakübel gesetzt, dazu eine Statue, die einen fabelhaft gebauten Jüngling darstellt. Allein die Pflanzen müssen ein kleines Vermögen gekostet haben, und das Mobiliar gibt es auch nicht in jedem x-beliebigen Laden. Und dennoch, es ist keine Wohnung zum Wohlfühlen. Schon durch ihre bloße Anwesenheit hat Johanna das ungute Gefühl, alles in Unordnung zu bringen. Kaum vorstellbar, daß jemand einen ordinären Kaffeebecher auf das polierte Glas des Tisches stellen könnte.

»Bitte nehmen Sie Platz«, fordert Frau Peschel die Besucher auf. Von Freundlichkeit keine Spur, das hat sie wohl nicht nötig. Zu dritt setzt man sich um den runden Tisch, Christine Peschel betont ausdrücklich, nicht viel Zeit zu haben, unentwegt schaut sie auf ihre goldenen Armbanduhr, selbstverständlich brillantenbesetzt. Sie gibt sich abweisend – zeigt überdeutlich, daß sie sich belästigt fühlt. Mit schlechtem Gewissen deponiert Johanna ihren Schreibblock auf dem Tisch, Fingerabdrücke lassen sich leider nicht vermeiden.

Zuerst die üblichen Angaben zur Person. Ledig ist sie, lebt mit ihrem Sohn allein. Geboren 1957, zwei Jahre vor Johanna. Beruf? Sie betreibt einen Blumenladen in der Wernerpassage. Beinahe wäre Johanna ein lautes: Ach so! entwischt. In der Wernerpassage gibt es nämlich nur einen einzigen Blumenladen. Und dort werden haargenau die Dinge verkauft, die sich hier in so verschwenderischer Vielfalt präsentieren. Südliche Pflanzen, die dazu passenden Tongefäße und allerlei kunstgewerbliche Ziergegenstände. Zum Beispiel solche Statuen wie der Adonis am Fenster. Die Preise kalkuliert Frau Peschel höchstwahrscheinlich frei nach dem Satz: Es war schon immer etwas teurer, einen guten Geschmack zu haben. Um den Laden zu betreten zu können, fehlen Johanna vorerst noch einige entscheidende Stufen auf der Gehaltsleiter.

Die Kripobeamten erfahren nicht, daß Christine Peschel alles Mediterrane liebt, daß sie früher mal davon geträumt hat, für immer in Italien zu leben, daß dieses Land sie vor mehr als sechzehn Jahren völlig in seinen Bann gezogen hat, genauso wie ein Italiener namens Massimo. Geblieben ist ihr von dieser verrückten Zeit, dieser brennenden Liebe, ein abgebrochenes Kunststudium, eine Narbe unter dem rechten Auge, ein schwarzhaariger Junge, bildschön wie der Vater, allerdings auch genauso eigensinnig, und die alleinige Verantwortung für eben dieses Kind. Und darüber hinaus die Sehnsucht nach Mittelmeer, nach ewiger Sonne, nach lauen Sommernächten am Strand.

Eines Tages ist sie von dort aufgebrochen, klammheimlich, weil sie für sich selbst die Illusion brauchte, daß Massimo sie niemals hätte freiwillig gehen lassen. Obwohl sie im Innersten nur zu genau wußte, daß er wohl nur »Chiao Süße« gemurmelt und sich einen neuen Joint gedreht hätte.

Die zwanzigjährige Christine Peschel trampte mit ihrem dicken Bauch zurück nach Deutschland. Für das Kind wählte sie zu guter Letzt dann doch die Vernunft. Ein geregeltes Einkommen, eine gute Schulbildung, ein sicheres Dach über dem Kopf. Mit einem kleinen Blumenladen hat alles angefangen, im Hinterzimmer stand der Kinderwagen, später das Laufgitter, dann ein Schreibtisch für die Hausaufgaben. Sehr schnell erkannte Christine Peschel, daß es in diesem Land sehr viele Menschen gibt, die ihre eigene Vorliebe für das südliche Ambiente teilen – und die bereit sind, gut dafür zu bezahlen. Schon bald hat sie sich auf südländische Pflanzen spezialisiert, führt daneben ein umfangreiches Sortiment dekorativer Tongefäße, Direktimporte aus Südfrankreich übrigens, und ihr Blumenladen, in dem man vergeblich nach Alpenveilchen und Fleißigen Lieschen sucht, läuft seit Jahren hervorragend. Neuerdings, seit der Bau von Wintergärten boomt, expandiert das Geschäft erneut.

In all den Jahren hat sie gelernt, sich zu behaupten. Aus der naiven, verträumten Studentin ist längst eine harte, selbstbewußte Geschäftsfrau geworden. Eine, die sehr gut für sich selbst und ihren Sohn sorgen kann. Seit vier Jahren besitzt sie eine Ferienwohnung in Südfrankreich, kaum fünf Minuten zu Fuß vom Mittelmeer entfernt, vor der Tür parkt ein zwei Monate alter BMW, und ihr Kleiderschrank ist zum Bersten voll. Jederzeit hätte Christine Peschel sich ein eigenes Haus leisten können, doch damit mag sie sich nicht belasten. Sie braucht weder mehr Zimmer, noch verspürt sie Lust, sich einen eigenen Garten aufzubürden. In erster Linie lebt sie sowieso für den Laden, Robert ist ja inzwischen praktisch erwachsen, der geht seine eigenen Wege, und so glaubt sie, sich ohne schlechtes Gewissen voll und ganz auf ihr Geschäft konzentrieren zu können.

Die Kripo kommt unterdessen zum Grund des Besuches, man erkundigt sich nach Robert. Der Schrecken trifft sie mit voller Wucht, für einen kurzen Moment fürchtet sie, ihr Magen würde revoltieren. Nur gut, daß sie seit Jahren daran gewöhnt ist, die coole Geschäftsfrau zu mimen.

»Mein Sohn ist in seinem Zimmer, soll ich ihn holen?« Beruhigt registriert sie, daß ihre Stimme emotionslos und kühl klingt, so wie immer.

Nein, das soll sie nicht. »Der Hauptkommissar möchte sich gern mit dem Jungen unterhalten, während ich Ihnen ein paar Fragen stelle. Vielleicht darf er in Roberts Zimmer gehen?« schlägt Johanna vor.

Ein wenig verunsichert zuckt Frau Peschel die Achseln. »Warum denn eigentlich, was ist passiert? Klar, der Mord, das haben wir ja gelesen, Robert weiß es im übrigen aus der Schule, aber warum wird er vernommen, und warum ich? Ich kannte das Mädchen doch gar nicht«, wundert sie sich offen.

»Die beiden haben manchmal Schularbeiten miteinander gemacht, stimmt das?«

Sie nickt zögernd, kramt nervös nach einer Zigarette, verbrennt sich beinahe die Finger am Streichholz. Langsam schmilzt die Fassade der kühlen Geschäftsfrau, und eine verunsicherte, ängstliche Mutter kommt zum Vorschein. Sehr aufschlußreich.

»Sehen Sie. Und da wir im Moment praktisch im dunkeln tappen, müssen wir jeden befragen, der uns irgendwie weiterhelfen könnte. Vielleicht weiß Ihr Sohn etwas, das ihm unwichtig erscheint, das uns aber voranbringt.« Stefan Heynes lockerer Plauderton bedeutet nichts anderes als Gefahr. Eine ganz hinterhältige Tour, wie er damit sein Opfer in Sicherheit zu wiegen versucht. Garantiert hat er ihre Nervosität längst registriert. Das ist immerhin sein Beruf.

Christine Peschel weiß nur zu gut, daß sie diese als Unterhaltung getarnte Vernehmung nicht verhindern kann. Zumindestens nicht, ohne den Jungen verdächtig zu machen. Verzweifelt bemüht sie sich, ihre innere Unruhe zu verbergen. Das unvermutete Erscheinen der Polizei, dazu Roberts seltsam übertriebene Reaktion auf den Mord, für die es keinen vernünftigen Grund gibt. Absolut keinen *vernünftigen* Grund.

Seine Zimmertür ist geschlossen. Die Mutter klopft an, zaghaft pocht sie gegen das Holz, keine Antwort. Leise drückt sie die Klinke herunter. Der Junge hockt wie erstarrt auf seinem Bett. Er hört keine Musik, liest kein Buch, schaut nicht fern, er hockt vollkommen regungslos auf seinem Bett und stiert an die gegenüberliegende Wand. Beim Öffnen der Tür schaut er nicht mal auf.

»Robert«, die Stimme seiner Mutter klingt seltsam dünn. »Robert, hier ist jemand von der Polizei. Es geht um dieses tote Mädchen.«

Jetzt dreht er ruckartig den Kopf, erschrocken, wie ertappt.

Ein bildhübscher Junge, groß und athletisch gebaut, sein ärmelloses schwarzes Shirt läßt sehr muskulöse Arme sehen, Sportlerarme. Der hat Kraft genug, ein Mädchen zu erwürgen, registriert der Hauptkommissar automatisch. Gegen den hätte sie keine Chance gehabt. Der hätte sie auch mühelos ins Gebüsch schleppen können. Und Mann genug, um ein Kind zu zeugen, ist der Bengel allemal.

Das Gesicht des Jungen wirkt unnatürlich blaß. Dunkle Augen, ein empfindsamer Mund, wildes widerspenstiges Haar von bläulicher Schwärze, das ihm bis weit über die Augen fällt. Schwarze Haare, schwarze Kleidung, dazu die helle Haut, ein auffallender Junge, der bestimmt viele Mädchenherzen stolpern läßt. Warum nicht auch das von Melanie Feldmann?

Robert weiß nichts. Angeblich gab es kaum Kontakt, der über den Unterricht hinausging. Zuletzt hätten sie vor acht Wochen gemeinsam Mathe geübt.

»Und sonst?« forscht Kommissar Heyne weiter. »Ich glaube, sie mochte dich sehr gern. Wie war das von deiner Seite? Wart ihr befreundet?«

Verlegen weicht der Junge seinem Blick aus.

»Ich fand sie ganz nett«, sagt er leise und fühlt sich sichtlich unbehaglich dabei. »Aber sie war ganz unschuldig ..., kindlich. Ich ... ich weiß nicht, ob ich das richtig ausdrücken kann. Die Melanie hatte überhaupt noch kein Interesse an Jungs ...«

»Du meinst, sie hatte kein Interesse an *dir*. An Jungs vielleicht schon, immerhin war sie schwanger«, wirft Heyne trocken ein und löst damit ein trockenes Aufschluchzen aus. Viel mehr kann er nicht in Erfahrung bringen. Der Junge beteuert beinahe schon hysterisch, nicht der Vater des Kindes zu sein. Auf der Klassenfahrt wäre nichts zwischen ihnen gewesen, absolut nichts, und zu Hause auch nicht. Von der

Schwangerschaft habe er erst heute erfahren. Genau wie alle anderen auch. Aber daß ein Mensch, den er persönlich gekannt habe, eine Mitschülerin, so einfach tot sein kann …

»Die hat doch keinem was getan!«

Heyne ist ratlos. Entweder ist dieser Bengel außergewöhnlich sensibel und der gewaltsame Tod einer Mitschülerin wirft ihn völlig aus der Bahn, oder aber er ist tatsächlich der Mörder. Eines von beiden.

»Na, was hatte die Mutter zu bieten?« will er vor der Haustür wissen.

»Nicht viel, praktisch nichts. Sie wirkte auf mich wahnsinnig nervös. Hat eine Zigarette nach der anderen geraucht. Gestern mittag ist sie im Laden geblieben, um Waren auszupacken. Sie weiß also nicht, ob er pünktlich heimgekommen ist.«

Das spricht für die Mördertheorie. Der Junge hat kein Alibi, die Mutter ist nervös. Warum sollte diese Frau, die offenbar mit beiden Beinen felsenfest im Leben steht, so überreizt reagieren? Denkt sie, was Heyne denkt? Fürchtet sie auch, was er befürchtet?

Der Badmintonverein erweist sich als Niete. Melanie Feldmann hat in einer reinen Mädchenmannschaft gespielt. Und nach dem Training ist sie immer gleich nach Hause geradelt. Häufig haben die Eltern sie auch abgeholt. Mit einem Jungen ist dort garantiert nichts gelaufen. Die trainieren nicht mal zur gleichen Zeit. Sackgasse. Die Spurenakte wird noch einmal sehr sorgfältig gelesen. Was hat man übersehen? Wer kommt als Vater und damit als Täter in Frage?

Mittlerweile ist es Abend, kurz nach neunzehn Uhr. Heyne schlägt noch ein Bier in seiner Stammkneipe vor.

Der Felsenkeller erweist sich als typische Arbeiterkneipe.

Dem Namen zum Trotz überirdisch. Wenn es tatsächlich einen Keller geben sollte, dann haben die Gäste jedenfalls keinen Zutritt. Der Wirt hinter der Theke, ein schwitzender, rotgesichtiger Fettwanst, grinst Hauptkommissar Heyne erfreut an.

»Hallo, Chef!« grüßt er laut. Und ein bißchen unterwürfig. Unter seinen hochgerollten Hemdsärmeln schauen zahlreiche Tätowierungen hervor, hauptsächlich vollbusige Meerjungfrauen und Segelschiffe. An den kurzen plumpen Fingern, die erstaunlich flink und geschickt hantieren, trägt der Dicke klobige Goldringe. Zwei an der rechten und drei an der linken Hand. Das unvermeidliche Goldkettchen verliert sich beinahe an seinem gewaltigen Nacken.

»Seemann oder Knacki«, flüstert Johanna Roland Bierwirth, der – zufällig oder nicht – neben ihr sitzt, verschwörerisch zu.

»Ich tippe auf beides.« Er lacht leise, und sie glaubt, die Wärme seiner braunen Augen auf der Haut spüren zu können.

Normalerweise meidet Johanna diese Art Kneipen, und das nicht nur, weil die Luft hier zum Schneiden dick ist, weil im Hintergrund die Spielautomaten aggressiv blinken und pausenlos elektronische Kurzfanfaren wiederholen, nicht nur weil die Einrichtung zwar altmodisch, doch trotzdem höchst ungemütlich ist, sondern vor allem, weil die Ansammlung besoffener und halbbesoffener Kerle ihr auf unbestimmte Art und Weise Angst einflößt, da hilft nicht der Dienstausweis in der Tasche, auch keine Dienstwaffe, solche Kneipen sind von jeher Feindesland für alleinstehende Frauen.

»Hecki, mach mal 'ne Runde Bier für uns«, donnert Heyne los, der sich überaus wohl zu fühlen scheint. Entweder paßt diese Kneipe tatsächlich überhaupt nicht zu ihm, oder Johanna muß ihr Bild vom Hauptkommissar bei Gelegenheit

gründlich überprüfen. Den Heyne mit seinen Bundfaltenhosen und messerscharfen Bügelfalten hat sie sich immer
nur in einem piekfeinen Restaurant vorstellen können.

Vier Bier für vier Leute. Hauptkommissar Heyne, Kommissar Roland Bierwirth, Kriminalobermeister Edgar Lohse
und Johanna.

Der Wirt bringt vier frischgezapfte Halbe, die Gläser sind so
voll, daß der weiße Schaum außen runterläuft und eine
Pfütze auf dem runden Holztablett bildet, das in den gewaltigen Pranken des Wirtes irgendwie lächerlich klein erscheint, fast wie ein zerbrechliches Kinderspielzeug.

Mit Schwung knallt Hecki, der eigentlich Gunnar Hecker
heißt und der weder im Gefängnis gesessen noch die sieben
Weltmeere befahren hat, sondern früher sein Geld als
Bäcker verdiente, bevor er sich entschloß, die Kneipe seine
Onkels zu übernehmen, und der vor mehr als zwanzig
Jahren mit Heyne zusammen Fußball gespielt hat, die Gläser
auf den Tisch. Bierdeckel gibt es nicht. Prost.

Nachdem er sein Bier zur Hälfte geleert hat, sich in Arbei-
termanier den Schaum mit dem Handrücken aus dem
Schnäuzer gewischt hat, meint Heyne nachdenklich: »Also,
mit diesem Jungen, diesem Robert Peschel stimmt was nicht.
Haben Sie das nicht auch so empfunden, Johanna?«

Leider ja. Die Tatsache allein, daß der Junge außergewöhnlich hübsch aussieht, sogar um Klassen besser als der Stein-
adonis seiner Mutter, taugt wohl nicht als überzeugendes
Gegenargument. Höchst widerwillig gibt Johanna zu, daß
der Junge sich auffällig verhalten hat.

»Er wirkte richtig verstört. Und die Mutter auch. Normalerweise hätte sie dazu ja keinen Grund. Und sie ist ganz gewiß
nicht der Typ Frau, der bei dem Wort Kriminalpolizei gleich
in Ohnmacht fällt.«

Edgar Lohse triumphiert: »Hab' ich doch heute mittag

schon gewußt. Der ist es gewesen. Paßt alles hervorragend zusammen!« Beifallheischend schaut er sich in der Runde um, aufgebläht wie ein Gockel, der ein Heer andächtiger Hennen um sich versammelt hat.

»Bist eben ein echtes As!« Roland Bierwirth grinst und gibt sich keine besondere Mühe, die Ironie zu verbergen.

»Hab' ich es gesagt oder nicht?« hakt Lohse gereizt nach. »Ich hatte ja wohl zuerst den Verdacht!«

Alle schweigen und schmunzeln. Beleidigt widmet Edgar Lohse sich seinem Bier. Wie so oft glaubt er sich von den anderen unterschätzt. Diese Kommissare, Oberkommissare, Hauptkommissare, all diese studierten Typen fühlen sich einem einfachen Kriminalobermeister natürlich haushoch überlegen. Eingebildete Arschlöcher, allesamt. Ist doch immer dasselbe. Für die Drecksarbeit ist man gut genug, aber am Ende kassiert Heyne, dieser geschniegelte Fatzke, das Lob höchstpersönlich ein.

Von Zeit zu Zeit denkt Lohse ernsthaft darüber nach, ob er sich nicht als Privatdetektiv selbständig machen sollte. Und wenn er nicht so genau wüßte, daß er dann sein Brot mit der Beschattung von untreuen Ehemännern und Ehefrauen verdienen, womöglich sogar nach verschwundenen Hunden und Katzen fahnden müßte, er hätte diesen Schritt längst gewagt. Jawohl. Nie würde er sich selbst eingestehen, daß es viel eher die Sicherheit des öffentlichen Dienstes ist, die ihn nach wir vor bei der Polizei hält.

Roland Bierwirth ist der erste, der sich verabschiedet. Seine Frau wartet.

Merkwürdig, wenn einer geht, folgen alle. Die Runde löst sich auf.

Zur gleichen Zeit versucht Christine Peschel, Robert wenigstens zu einem halben Schwarzbrot zu überreden, bitte, oder soll ich dir schnell einen Salat machen? Vergeblich. Der Junge reagiert gereizt, knurrt unfreundlich: »Laß mich in Ruhe!«

Und die Angst, die schreckliche, würgende Angst macht es ihr unmöglich, selbst auch nur einen winzigen Bissen hinunterzubekommen. Warum um alles in der Welt ist Robert derart außer sich? Was verschweigt der Junge? Zum ersten Mal seit langer Zeit wird sie in dieser Nacht eine Tablette brauchen, um einschlafen zu können.

Bei Feldmanns klingelt das Telefon. Eine ehemalige Nachbarin ist dran.

Zuerst druckst sie ein wenig herum, verlegen, weil sie nicht so recht weiß, wie man mit Trauernden umgehen soll. Dann aber kommt das Wichtige:

»Wißt ihr schon? Die Kripo hat den kleinen Peschel in Verdacht. Weißt doch, dieser kleine Spinner, der diesen Tick hat mit den schwarzen Klamotten. Die Mutter hat den teuren Blumenladen in der Marktstraße. Ist praktisch völlig vaterlos aufgewachsen, der Bengel, soll von einem Italiener sein. Dachte mir, ihr sollt das ja wohl als erste erfahren. Meine Lütte meint, der Robert und die Melanie, das wär' wohl mehr als Freundschaft gewesen …«

»Danke«, murmelt Vera Feldmann ins Telefon. Verwirrt legt sie auf. Ob sie Dieter überhaupt davon erzählen soll? Der ist ohnehin so seltsam in diesen Tagen, als ginge das alles ihn gar nichts an. Als Mann findet er wohl keinen Weg, über seine Trauer zu reden, und glaubt, alles mit sich selbst abmachen zu müssen. Das mag ja normal sein, dennoch fühlt sie sich in ihrem Schmerz alleingelassen.

Dann wird jetzt also dieser Robert Peschel verdächtigt? Nachdenklich zeichnet sie mit dem Finger das Muster der Tischdecke nach. Sie versucht, sich das Bild des Jungen ins Gedächtnis zu rufen, es gelingt ihr aber nicht so recht. Seufzend gibt sie auf. Ist doch sowieso alles Quatsch. Wieso ausgerechnet Robert? Der ist doch selber noch ein Kind.

Andererseits wird die Kripo keinen grundlos verdächtigen. Irgendeiner muß es ja gewesen sein. Irgendeiner muß der Melli doch ein Kind angehängt haben. Warum dann nicht dieser Robert? Gemocht hat sie ihn ja wohl. Und wenn andere mehr wissen als ihre eigenen Eltern … Überhaupt. Wem würde man schon so einfach einen Mord zutrauen. Wenn es danach geht, war es niemand.

Der Stachel sitzt bereits fest, er hat sich mit tausend Widerhaken in ihrem Kopf verankert. Vera Feldmann wird den Namen Robert Peschel nicht mehr aus ihren Gedanken verbannen können. Weil sie einen Schuldigen braucht, um sich daran festzuhalten.

Um zweiundzwanzig Uhr liegt Hauptkommissar Heyne längst in tiefem Schlaf. Er hat mit den Jahren gelernt, aus den unregelmäßigen Dienstzeiten das Beste zu machen. So wie er jederzeit eine Nacht durcharbeiten kann, wenn es sein muß, ist es ihm auch möglich, sofort und auf der Stelle in erholsamen Tiefschlaf zu fallen. Notfalls um acht Uhr abends, gleich nach den Nachrichten, so wie heute.

Roland Bierwirth hilft seiner Frau beim Abwasch. Die Kinder schlafen – endlich. Gewöhnlich wachen die Zwillinge allerdings mindestens einmal pro Nacht auf. Brauchen was zu trinken, ihren Schnuller oder einfach nur Streicheleinheiten. Manchmal bewundert Roland seine Frau, die mit der größten Selbstverständlichkeit mitten in der Nacht aufsteht und sich liebevoll um die Kinder kümmert. Dann wieder kommt es ihm so vor, als hätte sie die beiden maßlos verwöhnt. Die Tochter seines Bruders ist zum Beispiel vier

Monate jünger und schläft seit Monaten schon jede Nacht durch.

Und Edgar Lohse trinkt daheim gerade die achte Dose Aldibier. Auf dem Fernsehschirm stöhnen sich ein älterer Mann und eine junge, knackige Frau dem Höhepunkt entgegen. Mensch, hat die einen Hintern! Edgar Lohse kann der Blick nicht abwenden. Als die beiden da endlich zu Ende sind, kramt er aufgeregt sein privates Telefonregister hervor. Seine Finger fliegen über die Wählscheibe.

»Hallo, Greta«, krächzt er atemlos. »Hier ist Edgar. Hast du heute noch Zeit für mich? Fühl mich so allein …«

Und Greta Wollien, die tagsüber für zwölf Mark Stundenlohn am Fließband steht und die es nie schafft, mit dem bißchen Lohn zurechtzukommen, Greta, die ein Faible für schicke Klamotten hat, Greta ist gern bereit, ihm gegen ein paar Scheine diesen Abend zu versüßen. Und während er sich in ihr abmüht, lächelt sie geheimnisvoll vor sich hin. Nicht etwa, wie Edgar meint, weil es ihm gelingt, sie maßlos glücklich zu machen, sondern weil sie an die Seidenbluse im Schaufenster ihrer Lieblingsboutique denkt, die sie sich morgen nachmittag leisten kann. Für das Klassentreffen ist diese Bluse, der man ihren Preis schon von weitem ansieht, genau das Richtige. Dahinter läßt sich die Fabrikarbeiterin sehr gut verbergen.

Johanna sitzt in ihrer Stammkneipe. Mit schlechtem Gewissen, weil sie längst im Bett liegen sollte, immerhin hat die letzte Nacht nur zwei Stunden gedauert, und morgen früh klingelt der Wecker wieder um sieben. Trotzdem, sie mag einfach noch nicht schlafen gehen. Mit irgendeinem Menschen muß sie heute abend reden. Und Lea Brenning, ihre Vermieterin, die inzwischen beinahe so was wie eine Freundin geworden ist, hat sie vor zwei Tagen in einen Bus Richtung Tirol gesetzt. Es tat beinahe weh, die kleine pastellfarbene Lea, deren kunstvolle Frisur sich mal wieder rettungslos auflöste und die unterwegs zweimal in ihrer großen weißen Handtasche nach Paß und Reiseschecks kramte, in dieser Gruppe aus langweiligen grauen Rentnern verschwinden zu sehen. Ach, was soll ich in meinem Alter noch allein in Urlaub fahren. So eine Gruppenreise ist gerade richtig für mich, hatte sie sich verteidigt. Bestimmt langweilt sie sich in Tirol zu Tode. Oder sie wird von den anderen hemmungslos ausgenutzt. Lea, die Krankenschwester, fühlt sich ja immer viel zu schnell für andere verantwortlich.

Als Johanna vor vier Jahren hier ankam, zwangsumgesiedelt aus beruflichen Gründen, aus der Großstadt in eine typische Kleinstadt, war sie bereits nach einer Woche todunglücklich. Die männlichen Kollegen waren ihr zu eingebildet, gar nicht zu reden von den ewigen sexistischen Anspielungen im Dienst, ihre Blockwohnung wirkte so kalt wie ein Kühlschrank – zumal sie immer von einem kleinen, gemütlichen Bauernhaus geträumt und gehofft hatte, diesem Traum in einer kleinen Stadt näherzukommen. Statt dessen diese Wohnung. Sie war gewissermaßen eine Vernunftehe eingegangen, ohne jede Liebe. Die Geschäfte boten nicht die gewohnte Auswahl, es gab weit und breit kein spanisches Lokal, und dabei aß sie für ihr Leben gern spanisch, ja selbst das Wetter war andauernd mies. Es hagelte und regnete zu jener Zeit wochenlang, ohne Unterbrechung. Eines Abends, nach einem gähnend langweiligen Besuch im Stadttheater, der genau zu dem Bild paßte, das sie sich vom Kulturverständnis der Hiesigen gemacht hatte, fuhr sie mit dem Wagen kreuz und quer durch die Gegend. Einfach nur, weil sie noch nicht müde war und absolut nicht Besseres mit ihrer Zeit anzufangen wußte. Und da entdeckte sie rein zufällig in einer Seitenstraße zwischen einem Herrenfriseur und einem Reisebüro Helenes Frauenkneipe. Sie hielt an, betrat den Laden – und fühlte sich augenblicklich heimisch. Bei Helene ist es nett, gemütlich, hier trifft man fast immer interessante Frauen, solche, mit denen man sich gern unterhält. Hier hat sie vor einem Jahr auch davon gehört, daß Lea Brenning eine Mieterin für die Oberwohnung suchte. Zwei Zimmer, zwei wunderbar große, sonnige Zimmer, nicht zu vergessen der Südbalkon, ein helles großes Bad – und als Pferdefuß eine Miniküche im Flur. Ein Dauerprovisorium, ein sogenanntes Single-Küchencenter, soll heißen ein Einbauschrank, der Spüle, Kühlschrank und einen Herd enthält, und sogar noch Platz für das notwendige Geschirr bietet. Leider mindestens doppelt so häßlich wie praktisch. Egal, Johanna ist trotzdem glücklich in ihrer Wohnung. Kochen ist ohnehin nicht ihr Fall.

Helenes Frauenkneipe ist außen knallig lila angestrichen, eine Farbe, die die Inhaberin zwar gräßlich findet, die aber zweifelsohne dazu angetan ist, Männer abzuhalten. Der Mann an sich ist der Feind der Frau, verkündet sie gern. Und wer sie nicht kennt, könnte denken, daß Helene Frauen liebt. Was auch der Fall ist. Allerdings nur rein platonisch. Für die körperliche Liebe zieht Helene Männer vor. Je jünger, desto besser, und wenn man ihren Worten Glauben schenken darf, außerdem in nicht unbeträchtlicher Zahl. Nur besoffene Kerle sind Helene von jeher ein Greuel. Und da Kneipe und Besoffene nun einmal zusammengehören, hat sie die ihre emanzipationslila getüncht und kurzerhand Helenes Frauenkneipe genannt. Mit Erfolg. Bier vom Faß schenkt sie übrigens aus Prinzip nicht aus, und eine Frage nach einem ordinären Korn käme einer Beleidigung gleich. Helene liebt es vornehm. Sekt, Wein, Altbierbowle, eine bunte Palette an Obstsäften, eine große Auswahl klebriger Liköre, allen voran Eierlikör, Helenes absolutes Lieblingsgetränk. Manchmal gibt es sogar eine Kleinigkeit zu essen.

Und immer läuft im Hintergrund alte Filmmusik vom Band. Gerade jetzt schwelgt Grace Kelly in True Love.

Fünfundfünfzig Lebensjahre gibt Helene zu, höchst ungern und nur in schwachen Stunden, in Wahrheit müssen es gut und gern fünfundsechzig sein. Theaterschauspielerin will sie gewesen sein. In Wahrheit war Lene Meyers Platz hinter der Bühne. Karten hat sie verkauft, Kleider geändert, saubergemacht.

Als Mädchen für alles durfte sie für einen lächerlich geringen Lohn die heißgeliebte Theaterluft mitschnuppern. Und einmal, ein einziges Mal, ausnahmsweise, ein Hausmädchen spielen, in den fünfziger Jahren, als die Darstellerin unerwartet an Mumps erkrankte und auf die schnelle kein Ersatz aufzutreiben war. Siebenmal als stummes Hausmädchen auf der Bühne, daraus hat sie ihre künstlerische Vergangenheit gestrickt. Und inzwischen glaubt sie beinahe schon selbst daran.

Johanna trinkt ihren vierten Rosé, es könnte auch der fünfte sein. Gezählt wird heute nicht. Zählen hätte nämlich etwas mit Vernunft zu tun, und wenn sie vernünftig wäre, würde sie längst im Bett liegen.

Da Helene die meisten Frauen hier gut kennt und folglich weiß, daß Johanna gewöhnlich nicht wortlos vor sich hinpichelt, setzt sie eine besorgte Miene auf.

»Ist was los, meine Süße? Hast du Kummer? Warum säufst du heute?« fragt sie unverblümt.

Helene kann man alles sagen. Sie ist eine Art großer Mutter, die beste aller Mütter sogar, weil sie keine eigenen Kinder hat. Helene macht sich grundsätzlich nie Sorgen um andere. Sie hört sich alles geduldig an – manchmal nickt sie nur verständnisvoll, manchmal gibt sie auch abenteuerliche Ratschläge, besonders wenn es um Männer geht.

»Ich glaube, ich habe den größten Fehler meines Lebens

gemacht, Helene. Bin jetzt bei der Mordkommission«, jammert Johanna in den lachsfarbenen Rosé.

Ihr Gegenüber schüttelt verständnislos den Kopf, so daß die überdimensionalen Goldohrringe laut klirren.

»Mordkommission? Wieso Fehler? Ich liebe Frauen in wichtigen Positionen. Ich will doch hoffen, daß du dort ab und zu mal einen dieser miesen Kerle hinter Gitter bringst, Schätzchen. Zum Beispiel den, der dieses arme Dingelchen abgemurkst hat. Was soll daran falsch sein?«

Zwei Rosés später stöhnt Johanna, daß sie dort ein kärgliches Dasein als einzige Frau unter Männern fristet. »Die nehmen mich doch gar nicht für voll«, lamentiert sie voller Selbstmitleid.

Helenes tiefes Lachen dröhnt durch die Kneipe, so daß zwei Frauen, die zum ersten Mal hier sind, erschrocken zusammenfahren.

»Laß dir nicht die Butter vom Brot nehmen, Kindchen! Das hast du doch gar nicht nötig. Hast doch wohl die gleiche Ausbildung wie die Kerle, etwa nicht? Eins mußt du dir merken: Der Mann ist von Natur aus unser Feind. Leider Gottes wurde er von Frauen darauf getrimmt, Frauen zu unterdrücken. Natürlich gelingt ihm das am besten bei denen, die glauben, verliebt zu sein. Ach, was rede ich, am besten klappt das mit den Ehefrauen. Die lassen sich bekanntlich praktisch jede Schweinerei gefallen, und das nur für so einen lächerlichen Fetzen Papier. Paß gut auf, Schätzchen, du läßt dich dort in keine persönliche Beziehung verwickeln, dann können die Kerle dir gar nichts! Die sind doch alle hohl von innen, diese Kerle, aufgeblasene Luftballons!«

Verächtlich schnippt sie die Asche von ihrem Zigarillo.

»Ich kannte mal einen, göttlich, sag ich dir, göttlich, der Kerl. Hatte Augen wie zwei Bergkristalle, so was von Hellblau, einfach unglaublich. Für den hätte ich sonstwas getan. War übrigens Künstler wie ich. Maler. Ich war wie von Sinnen, war drauf und dran, den Kerl zu heiraten. Und dann hab' ich ihn eines Tages ganz unerwartet besucht, sollte 'ne Überraschung sein. Was soll ich dir sagen … der Knabe trug karierte Filzpantinen und was noch schlimmer war, einen synthetischen Morgenrock in Knallviolett, einfach gräßlich. Ich glaube, seitdem hasse ich diese Farbe. Mir ist fast schlecht geworden, wie er da in seinem Sessel thronte und Zeitung las. Und dann sagte er glatt, mach uns doch rasch einen Tee, Liebchen. Na, da wußte ich doch Bescheid, ich und Tee kochen, seine Pantoffeln anschleppen, womöglich seinen fiesen Mantel waschen und bügeln! Nee, Helenchen, hab' ich mir gesagt, das war dann wohl nix. Hab' ihn aufgegeben. Scheiß was auf hellblaue Augen. Nachher fand ich sowieso, daß sie wie Schweinsäuglein aussahen. Irgendwie verwässert, um nicht zu sagen tückisch. Keine klare Linie, wenn du verstehst, was ich meine.«

Albert Haffke, der vor mehr als vierzig Jahren die Post ins Theater getragen hat, würde sich in Lene Meyers Geschichte nur schwerlich wiedererkennen. Allerhöchstens an seinen hellblauen Augen. Und vielleicht noch an seinem lilafarbenen Wollschal, den Helene kurzerhand zu einem Synthetikmorgenmantel umfunktioniert hat.

Angeheitert, wie sie inzwischen ist, kann Johanna sich das Lachen nicht verkneifen.

»Göttlich bist höchstens du«, gluckst sie fröhlich.

»Zeig denen die Zähne, Schätzchen. Wir Frauen sind sowieso der bessere Teil der Schöpfung. Die Kerle waren doch nur der Probelauf! Prost!«

Freitag

Die Frau im Badezimmerspiegel ist Johanna nicht besonders sympathisch. Gerötete Augen, halb verborgen unter geschwollenen Lidern, ein verkniffener Mund. Trotz Gel sind die Haare zu schlapp, um wie gewohnt frech in die Höhe zu stehen. Grausam. Ob es hilft, sich ausnahmsweise zu schminken? Wimperntusche? Lippenstift? Rouge? Puder?

Ach, Quatsch, lieber ein gemütlicher Kaffee. Wahre Schönheit kommt sowieso von innen, heißt es doch immer. Da kann man außen rumpinseln soviel man will, wenn man sich mies fühlt, sieht man auch so aus. Und Johanna fühlt sich heute morgen ziemlich mies. Verkatert eben.

Wie nicht anders zu erwarten, schmeckt der Kaffee viel zu bitter. Aber es ist ohnehin höchste Zeit, loszufahren. Wie hat Helene so schön gesagt: Laß dich bloß nicht unterbuttern. Auf in den Kampf!

Im Kommissariat geht es nicht mehr so geschäftig zu, die Mordkommission ist aufgelöst. Man weiß nicht mehr, wen man noch vernehmen könnte. Ab heute arbeiten nur noch die ständigen Mitarbeiter des Ersten Kommissariats am Mordfall Melanie Feldmann. Heyne, Lohse, Roland Bierwirth und Johanna.

Zunächst gibt es Kaffee, den Frau Samcke freudig lächelnd serviert. Schon wieder Kaffee, Johannas Magen reagiert äußerst sauer. Überrascht registriert sie am Rande, daß die Sekretärin offenbar über alle Maßen in den Chef verliebt ist.

Sie bombardiert ihn förmlich mit zärtlichen Blicken aus ihren perfekt geschminkten Augen, jedes für sich eine strahlende Sinfonie in Blaßlila. Ihr zartrosa Kußmund lächelt unentwegt. Heute trägt sie ein schneeweißes Minikleid, knalleng, was sie sich bei ihrer Figur auch durchaus leisten kann. Den krönenden Abschluß ihrer Glamourerscheinung bilden Stöckelschuhe aus schwarzem Lack, Wahnsinnsdinger, auf denen Johanna nicht einen einzigen Meter laufen könnte, ohne sich die Knöchel zu brechen. Und die Samcke muß immerhin acht Stunden darauf balancieren. Das grenzt ja an Folter. Unerfüllte Liebe schlägt manchmal seltsame Kapriolen. Heyne bemerkt offenbar nicht mal, wie die Samcke sich für ihn kasteit, Lohse kriegt dagegen Stielaugen. Helene hat schon irgendwie recht, bloß keine persönlichen Verwicklungen.

Die Stimmung ist mies. Dumpfes Schweigen, jeder schaut wie gebannt in seinen Kaffeebecher, als würde darin die Lösung schwimmen. Schließlich murmelt Stefan Heyne frustriert: »Wenn man ehrlich ist, haben wir praktisch nichts. Eine Tote, die schwanger war. Die direkt nach Schulschluß ermordet wurde. Anscheinend von jemandem, den sie gekannt hat. Vermutlich vom Kindesvater. Keiner will es gewesen sein, niemand weiß, mit wem sie was gehabt hat. Ein Mitschüler ist nur deshalb verdächtig, weil er sich seltsam benimmt. Reicht wohl kaum aus für eine Verhaftung. Spuren hat der Mörder nicht hinterlassen. Keine Haare, kein Sperma, keine Fingerabdrücke, nichts.«

»Den Peschel sollten wir mal so richtig in die Mangel nehmen. Der wird schon gestehen!« platzt Edgar Lohse dazwischen. Die Nacht mit Greta, genaugenommen war es ja nicht mehr als eine Stunde, eine sehr lange Stunde allerdings, hat ihm gutgetan, hat sein ramponiertes Selbstbewußtsein wieder aufgemöbelt. Wird sich sowieso rausstellen, daß er als erster, als einziger, auf der richtigen Spur war. Wie so oft. Und hinterher werden sie wieder so tun, als wären sie von selbst drauf gekommen.

Nachdenklich mustert Johanna den blonden Mann mit den braunen Augen, der ihr gegenübersitzt und gedankenverloren aus dem Fenster starrt. Müde sieht er aus, die Haare wirken ungekämmt, und an seinem Hemd fehlt der oberste Knopf. Sie könnte sich gut vorstellen, ganz langsam aufzustehen, auf ihn zuzuschreiten, mit wiegenden Hüften selbstverständlich, mit der Hand durch sein wirres Blondhaar fahren, ja, für ihn könnte sie unter Umständen sogar Nadel und Faden hervorkramen, um den Knopf anzunähen. Schade, daß er verheiratet ist. Johanna, ruft sie sich streng zur Ordnung, denk an den lila Morgenmantel. Das hilft.

Neue Pläne werden entwickelt.

Johanna und Bierwirth sollen zur Schule fahren. Diese Klassenfahrt ist wichtig. Hat nicht doch irgend jemand etwas gesehen? Johanna soll die Mädchen befragen, Roland die Jungen. Weil sie die Jüngsten hier sind und somit hoffentlich am ehesten Vertrauen erwecken. »Vor allem auf diesen Robert Peschel kommt's mir an. Mit dem stimmt was nicht«, erklärt der Hauptkommissar noch einmal eindringlich, und die beiden nicken gehorsam. Aye-aye, Sir.

Wenn Blicke töten könnten. Johanna bemerkt sehr wohl, daß Edgar Lohse vor Wut beinahe überkocht. Weil sie den Hauptverdächtigen vernehmen dürfen und nicht er.

Der Weg zum Auto erinnert Johanna vage an längst vergangene Tanzstundenzeiten. Dieses herrliche Gefühl, wenn man ganz unerwartet genau vom dem Jungen aufgefordert wurde, den man seit Wochen mit heimlichen Blicken verfolgte, der Triumphmarsch zur Tanzfläche, voll banger Erwartung, mit zitternden Knien, lautklopfendem Herzen, und dennoch seltsam glücklich. Genauso wie damals stolpert sie auch jetzt hinter dem Held ihrer geheimsten Träume her. Und genau wie damals folgt die Entzauberung sofort.

Im Auto stöhnt Roland, der sich übrigens wie selbstverständlich hinters Steuer gesetzt hat, daß er einen schrecklichen Morgen hinter sich habe. »Bei uns war die Hölle los. Zuerst hat Carla losgekotzt, fünf Minuten später die andere, na ja, sind halt Zwillinge, die machen alles zusammen. Meine Frau wußte gar nicht, wo sie zuerst wischen sollte. Ich saß da, hundemüde, mit zwei brüllenden Kindern auf dem Schoß, und kriegte kein Frühstück, nicht mal Kaffee.«

Nun könnte Johanna zwar ehrlicherweise sagen, daß sein Privatleben sie nicht die Bohne interessiert, schon gar nicht, wenn er sich damit selbst als typischen Heimpascha entlarvt, aber statt dessen nickt sie verständnisvoll, murmelt »du Armer« oder etwas Ähnliches. Allerdings wohl ein wenig kühl, denn auf einmal merkt er selbst, daß seine Kinder sie offenbar wenig interessieren und er wechselt beinahe verlegen das Thema.

»Den Peschel sollten wir ruhig zusammen vernehmen«, schlägt er diensteifrig vor. »Zwei Leute sehen und hören mehr als einer.«

Wie es scheint, sind blonde Haare in Zusammenstellung mit braunen Augen auch keine Garantie für einen Traummann. Bierwirth beansprucht ganz automatisch die Position von Heyne – und für Johanna bleibt die Rolle des dummen kleinen Frauchens. Wenn sie ihm eben ein Frühstück in ihrer Wohnung angeboten hätte, er wäre bestimmt begeistert darauf eingegangen. Verärgert folgt sie ihm ins Schulgebäude.

Zunächst werden die beiden im Lehrerzimmer vorstellig. Um diese Zeit sind die meisten Lehrer im Unterricht. Lediglich der Rektor, ein kleiner, dicker, alter, überaus aufgeregter Mann, ist zu sprechen. Er hat die seltsame Angewohnheit, beim Reden auf seinen Fußspitzen zu wippen, als wolle er unbedingt fünf Zentimeter größer erscheinen. Nun, trotz dieser mühsam erkämpften fünf Zentimeter bleibt er ein kleiner, dicker, alter Mann.

Johanna und Bierwirth erkundigen sich nach der Klassenfahrt. Wichtig ist vor allem, welche Lehrer dabei waren.

»Zunächst einmal die Klassenlehrerin, Frau Vehn-Becker, und dann unser Konrektor, Herr von Strack. Ein Mann und eine Frau, das ist Vorschrift«, erklärt er den beiden Kriminalbeamten in strengem Lehrerton, als hätten sie ihn zu Unrecht eines Formfehlers bezichtigt.

Frau Vehn-Becker unterrichtet zur Zeit, Herr von Strack arbeitet am Stundenplan. Den könne man ja vielleicht zuerst vernehmen, schlägt er vor und wippt und wippt; Johanna kann gar nicht mehr hinschauen.

Warum nicht?

Hilmar von Strack, schlank und groß, sehr braungebrannt, ein gutaussehender Mann von vierundfünfzig Jahren, gekleidet in einen perfekt geschnittenen dunklen Anzug, will gern helfen, wenn er kann. Johanna fühlt augenblicklich Abneigung in sich wachsen. Sein Rasierwasser riecht zu gut, seine Augen schauen zu intensiv, die Blicke dauern zu lange.

»Tja, die Klassenfahrt«, sinniert von Strack mit wohlklingender Stimme, »ehrlich gesagt ist mir da nichts Großartiges aufgefallen. Diese Melanie Feldmann ist …, ich meine natürlich war«, verbessert er sich schnell, »sie war ein sehr unscheinbares Mädchen. Keine von denen, an denen die Jungen sehr interessiert waren. Sie wissen schon, was ich damit sagen will. Viel zu still. Und zu brav. Höchstens …«, er faltet bedächtig die Hände, »ja, höchstens der Robert Peschel. Ich glaube, der mochte sie irgendwie. Ist ja selbst ein ziemlich ruhiger Zeitgenosse. Sieht allerdings sehr gut aus, ich weiß nicht, ob Sie ihn schon kennengelernt haben. Pechschwarze Haare, ich glaube, er ist Halbitaliener. Trägt gern schwarze Kleidung, irgendwie ein auffallender Typ, der Junge. Aber wie schon gesagt, ziemlich verschlossen. Ich erinnere mich, die beiden mal auf dem Flur überrascht zu haben, tagsüber allerdings. Nicht, daß sie geknutscht hätten oder so was, sie standen nur beieinander und flüsterten. Kriegten knallrote Köpfe, als ich dazukam. Ja, das habe ich gesehen. Aber mehr nicht.« Und wieder dieser endlose Blick in Johannas Augen. Nervös senkt sie die Lider. Nur mit Widerwillen erträgt sie seinen Händedruck zum Abschied. Robert Peschel, der Name wird immer wichtiger.

Die Vernehmungen der Schüler verlaufen mehr oder weniger ergebnislos. Wenn tatsächlich alle die Wahrheit sagen, kann Melanie Feldmann nie im Leben geschwängert worden sein.

»Sie war wohl die zweite Jungfrau Maria«, lästert Johanna zwischendurch, als sie die vielen »Weiß nicht«, »Keine Ahnung«, und »Kann ich mir nicht vorstellen«, nicht mehr hören mag.

Zum Schluß rufen sie Robert Peschel in die Lehrerbibliothek, die man ihnen großzügigerweise als Büroersatz zu Verfügung gestellt hat.

Der Junge hat sich gefangen, keine Frage. Mit hocherhobenem Kopf stolziert er herein – hier bin ich, was wollt ihr, ich habe nichts zu verbergen. Übrigens sieht er noch weitaus besser aus, als Johanna ihn in Erinnerung hatte. Irgendwie geheimnisvoll, regelrecht mystisch. Dieser harte Kontrast von weißer Haut und pechschwarzem Haar, mädchenhaft lange Wimpern über verträumten, dunkelbraunen Augen, feine Züge von geradezu femininer Schönheit, und dennoch würde kein Mensch mit Verstand diesen jungen Mann als weibisch bezeichnen.

Er trägt Schwarz. Aber davon hat man ihnen ja bereits zur Genüge erzählt. Diese Vorliebe für ausschließlich schwarze Kleidung besagt doch wohl, daß der Junge sich ausgiebig Gedanken über sein Äußeres macht, daß er sich sehr bewußt in Szene setzt. Und Melanie war nach allem, was sie gehört haben, völlig anders. Still und schüchtern, noch sehr kindlich und keineswegs besonders hübsch. Wieso sollte so ein Junge sich in ein Mädchen wie Melanie Feldmann verlieben?

»Ist es richtig, daß Sie sich auch außerhalb der Schule mit Melanie Feldmann getroffen haben?« eröffnet Johanna die Vernehmung.

»Das habe ich gestern schon Ihrem Kollegen gesagt«, antwortet er herablassend. »Wir haben ein paarmal zusammen Mathe geübt. War nicht gerade ihre Stärke. Aber in letzter Zeit hat sie es ganz gut gepackt, da haben wir uns nicht mehr getroffen. War nicht mehr notwendig.«

»Wann zuletzt?« schaltet Roland Bierwirth sich ein.

Verächtlich zieht der Junge die Mundwinkel herunter, wohl um zu demonstrieren, wie überflüssig er diese erneute Vernehmung zum gleichen Thema findet.

»Hab ich auch schon gestern gesagt. Zuletzt vor acht Wochen oder so.«

»Stimmt es, daß Sie die Melanie sehr gern hatten? Waren Sie verliebt in Melanie Feldmann?«

Volltreffer. Der Junge springt auf, die gespielte Ruhe fällt von ihm ab, sein bleiches Gesicht verzerrt sich vor Wut. »Das hättet ihr wohl gern, was? Damit ihr endlich einen Mörder vorweisen könnt!«

Johanna, insgeheim überzeugt von seiner Unschuld, möchte ihn davor bewahren, sich durch unangemessenes Verhalten weiter zu belasten. Betont langsam steht sie auf, geht um den Tisch herum, legt ihre Hand auf seinen Arm und sagt so ruhig wie möglich: »Bitte, setzen Sie sich wieder hin. Sie brauchen keine Angst zu haben. Natürlich suchen wir den Mörder, ist doch klar. Aber wenn Sie nichts damit zu tun haben, brauchen Sie doch nichts zu befürchten …«

»Von wegen!« tönt es höhnisch. »Ihr braucht doch dringend einen Schuldigen, so sieht's doch aus. Wenn ihr es genau wissen wollt – ich fand sie mal ganz nett. Aber sie war immer total cool, hat keinen an sich rangelassen. Da hab ich es aufgegeben. So 'ne heiße Braut war sie nun auch wieder nicht! Aber daß sie tot ist, daß einer sie erwürgt hat, das hat sie bestimmt nicht verdient. Warum denkt eigentlich niemand daran, daß einer die Melli vergewaltigt haben könnte? Nie und nimmer hätte die einen freiwillig an sich rangelassen. Und als sie gedroht hat, alles zu verraten, hat der sie umgebracht!«

Zwei Stunden später im Präsidium. Lagebesprechung. Die Spurenakte wächst.

»Ich finde die Idee mit der Vergewaltigung gar nicht so abwegig.« Johanna erntet erstaunte Blicke.

Lohse lacht sogar verächtlich auf. Wie gewöhnlich macht er kein Hehl aus seiner Meinung. »Quatsch! Der will doch nur von sich ablenken. Gar nicht mal so dämlich, der Bengel! Welches Mädchen würde in der heutigen Zeit eine Vergewaltigung geheimhalten? Warum hätte sie den Betreffenden nicht anzeigen sollen? Blödsinn, der Peschel macht sich damit in meinen Augen höchstens noch verdächtiger!«

Die Männerwelt ist sich einig. Ein modernes Mädchen verschweigt keine Vergewaltigung. Und würde sich auch nie im Leben freiwillig mit ihrem Vergewaltiger treffen. Lohse hat es erfaßt. Der kleine Peschel will von seiner eigenen Person ablenken.

»Und wenn sie kein modernes Mädchen war? Wenn sie sich

geschämt hat?« gibt Johanna zu bedenken. Doch die Männer haben die Idee bereits als unsinnig verworfen.

»Klar, auf den ersten Blick könnte es so sein«, gibt Heyne großmütig zu. »Aber ich glaube nicht daran. Vergewaltiger sind erfahrungsgemäß keine Mörder. Es sei denn, sie ziehen aus dem Mord an sich Lustgewinn. Aber davon ist ja hier nicht die Rede. Der Mörder hat das Mädchen eindeutig nicht angerührt. Natürlich kommt es vor, daß ein Vergewaltiger direkt nach der Tat in Panik gerät und aus Angst vor Entdeckung das Opfer tötet. Aber daß einer ein Mädchen vergewaltigt und erst drei Monate später erdrosselt, kann ich mir beim besten Willen nicht vorstellen. Das wäre völlig untypisch.«

Völlig untypisch, das beweist ja wohl noch nichts. Verdammt, warum wollen diese grinsenden Kerle nicht ernsthaft über so eine Möglichkeit nachdenken? Ist ihnen ein jugendlicher Mörder angenehmer als ein Erwachsener? Überhaupt …

»Stichwort sexueller Mißbrauch«, stößt sie aufgeregt hervor. »Wenn jemand sie nun regelmäßig sexuell mißbraucht hat? Durch die Schwangerschaft mußte doch alles rauskommen. Er hat sie getötet, um der Strafanzeige zu entgehen …«

Ein weiteres Mal grinst Lohse zynisch in ihre Richtung. »Wunderbare Idee, Frau Kollegin. Sie lesen Zeitung, wie man sieht. Wie wär es denn mit dem eigenen Vater? Erst vergewaltigt er sein eigen Fleisch und Blut und dann erwürgt er seine Tochter! Wirklich eine hinreißende Hypothese! Und so wahrscheinlich! Ich gratuliere!«

»Na na«, tadelt Heyne. »Wir wollen ja wohl sachlich bleiben, Edgar. Sexueller Mißbrauch, Johanna, warum nicht. Soll es ja oft genug geben. Aber ein Mord? Nein, das paßt nicht zusammen. Jemand, der eine ungesunde Vorliebe für kleine

Mädchen hat, ist noch längst kein Mörder. Tut mir leid, ich sehe da absolut keinen Zusammenhang.«

Johanna wird es speiübel – ungesunde Vorliebe für kleine Mädchen heißt das in Männerkreisen? Soll das ein Witz sein? Und wieder einmal fragt sie sich verwundert, was sie hier eigentlich verloren hat. Beschissene Idee, ins Erste Kommissariat zu wechseln. Sie schweigt wütend. Und die Männer sind damit zufrieden.

Für Vera Feldmann gibt es kein Zurück in die Normalität. Drei Brötchen beim Bäcker, nicht mehr vier. Zwei Kotletts, nie wieder drei. Das Kinderzimmer wird nicht länger benötigt, wir haben ja kein Kind mehr. Richte dir doch ein Nähzimmer ein, hat ihr Mann vorgeschlagen. Und dann, als er ihren entsetzten Gesichtsausdruck sah, verschämt gemurmelt, daß er natürlich später meine. In ein paar Monaten … Überhaupt ihr Mann mit seinem: Es muß doch weitergehen, schau nach vorn, Vera, denk nicht immer daran. Sein lächerlicher Versuch, unbehelligt weiterzuleben, den roten Faden wieder aufzunehmen, als ließe sich das bisherige Leben einfach so fortsetzen. Mach wieder einen Kurs bei der Volkshochschule. Die Tiffanylampe ist dir doch so gut gelungen. Einfach weitermachen, das Leck in ihrem Leben flicken. Für Vera Feldmann geht das nicht, nicht ohne Melanie. Ihre Trauer wandelt sich langsam in abgrundtiefen Haß auf den, der ihr das angetan hat. Unablässig kreist die Geschichte der Marianne Bachmeier durch ihre Gedanken, die im Gerichtssaal den Mörder ihres Kindes erschoß. Plötzlich kann Vera diese Art von Selbstjustiz begreifen. Wenn man bloß endlich wüßte, wer es getan hat – sie als Mutter *wäre* berechtigt, diesen Menschen zu vernichten, so wie er ihre Melli vernichtet hat. Noch ein Name rumort durch ihre Tag- und Nachtträume. Robert Peschel. Die Polizei soll ihn wieder vernommen haben. Anscheinend fehlen nur die Beweise. Mit Dieter hat sie beim Frühstück auch darüber gesprochen. Wie erwartet, hat er abgewiegelt: Das sind doch alles nur Gerüchte, davon stimmt höchstwahrscheinlich kein Wort. Mach dich nicht verrückt damit. Die Polizei wird sich schon melden, wenn sie den Täter haben. Merkwürdige Reaktion für einen Vater … Dieter wird ihr von Tag zu Tag fremder. Ein wahrhaft geradliniger Mensch, so gerade wie mit dem Lineal gezogen, ohne bemerkenswerte Höhen und Tiefen. Zu keinen großen Emotionen fähig, weder zu brennender Liebe noch zu abgrundtiefem Haß. Ein Feigling.

Am Nachmittag versucht Johanna noch einmal ihr Glück in der Herrenrunde.
»Und wenn einer der Lehrer sie mißbraucht hat? Vielleicht dieser smarte Konrektor?« schlägt sie mit klopfendem Herzen vor. Immerhin ist von Strack der einzige Erwachsene, der Robert Peschel als möglichen Kindesvater vorgeschlagen hat.
Das Ergebnis ist vernichtend. Lohse tippt sich vielsagend an die Stirn, Roland Bierwirth schüttelt mit mitleidiger Miene den Kopf, als leide sie an einer unheilbaren Krankheit, etwa Feminismus, und Heyne zieht ärgerlich die Augenbrauen zusammen.
»Werte Kollegin«, knirscht er, »es gibt absolut keinen Anhaltspunkt dafür, daß sexueller Mißbrauch vorliegt. Vielleicht ist Ihnen der von Strack nicht sonderlich sympathisch, mag ja sein, aber wenn Lehrer solche Vorlieben haben, weiß immer jemand Bescheid. Meinen Sie nicht auch, wir hätten längst einen Tip bekommen, und sei es anonym? Sie konstruieren hier eine Geschichte ohne Hand und Fuß. Da könnte es genausogut der Rektor gewesen sein, oder ein Nachbar oder sonstwer, praktisch jeder Mann in dieser

Stadt. Ich denke, wir halten uns an die Realität und konzentrieren uns auf den Jungen. Sie selber haben bemerkt, daß er sich auffällig verhält. Und er ist uns mehrfach als möglicher Kindsvater genannt worden. Er mochte das Mädchen – und sie ihn. Robert Peschel heißt unser Hauptverdächtiger. Da müssen wir den Hebel ansetzen.«

»Genau«, stimmt Lohse freudig zu. »Dieser Halbitaliener ist unser Mann. Bekanntlich haben Südländer heißes Blut! Nur weil neuerdings die Zeitungen jeden Tag über sogenannten sexuellen Mißbrauch schreiben, dürfen Sie nicht einfach solche abenteuerlichen Zusammenhänge erfinden. Ein Mann wie dieser von Strack hat so was bestimmt nicht nötig!«

Männliche Logik. Sie dürfen einen unbewiesenen Tatzusammenhang konstruieren, Johanna darf nicht. Vielleicht weil ihre Vermutung männerfeindlich zu sein scheint und hier nur Männer das Sagen haben?

»Über den Jungen haben wir auch nichts. Nur weil er der einzige ist, der überhaupt zugegeben hat, sie mal gemocht zu haben, braucht er nicht gleich ihr Mörder zu sein …«

Ein Blitzgewitter aus bitterbösen Blicken zischt auf sie nieder.

Kaum zu glauben, daß Johannas Vorschlag, das Zimmer des Mädchen zu untersuchen – es wäre ja möglich, daß sie ein Tagebuch geführt hat –, von Heyne aufgegriffen wird.

»Sehr gute Idee.« Darf man das jetzt als Friedensangebot werten?

Es ist schon beinahe zur Gewohnheit geworden. Der Chef und Johanna fahren zusammen.

Zum Glück öffnet diesmal Feldmann die Tür. Seine Frau sehen sie an diesem Nachmittag nicht. Vielleicht hält sie sich im Wohnzimmer auf, weil ihr der gestrige Auftritt peinlich ist, vielleicht ist sie gar nicht zu Hause.

90

Melanies Zimmer, eine kleine, stille, heile Welt, weiß und rosa geblümt. Ein richtiges Kinderzimmer, ein Zimmer für ein liebes Mädchen. Auf dem Bett tummelt sich eine ganze Schar von bunten Plüschtieren, eine Babypuppe ist auch darunter. Eine Babypuppe auf dem Bett – und eine Babypuppe in ihrem Bauch ... das paßt wirklich nicht zusammen. Ein Kleiderschrank, ein Schreibtisch, ein Stuhl. An der Wand Poster. Bon Jovi, Freddy Mercury, Marius Müller-Westernhagen und ein paar andere, die Johanna nicht mehr kennt.

Über dem Bett hängt ein kleines Bücherbord, darin typische Mädchenbücher, sieben oder acht, alle handeln von Pferden, daneben zwei Romane von Stephen King.

Es kostet Johanna Überwindung, hier einzudringen und rumzuschnüffeln. Alles wirkt so ordentlich, so aufgeräumt. Jedes Ding hier hat seinen Platz. Alles ist bestimmt noch genau so, wie Melanie es verlassen hat, wie es ihr gefiel. Die kitschige Muschel auf dem Nachtschränkchen, die zwei Parfümflakons im Regal, die Stofftiere, das Bild ihrer Mutter auf dem Schreibtisch.

Viel Kleidung hat sie nicht besessen, ein paar T-Shirts, fünf langärmlige Sweatshirts, nichts Besonderes darunter, Jeans und zwei Röcke.

Und nirgendwo ein Tagebuch. Nein, Melanie Feldmann hat der Kripo keine Nachricht hinterlassen.

Um kurz nach sechs schließt Johanna die Haustür auf. Wochenendeinkauf. Frisches Brot, gesalzene Butter, vier Sorten Käse, Eier, französischer Rotwein, Pilze und Tomaten, dazu noch tütenweise Pistazien und Erdnüsse. Und natürlich frisches Obst, Äpfel, Trauben und Birnen. Schwerbepackt schleppt sie sich die Treppe rauf, jede Stufe stellt ein neues Hindernis dar, das mühsam erklommen werden muß. Oben angekommen, zittern ihre Knie vor Anstrengung, ihr Puls rast, der Schweiß läuft den Rücken hinunter. Wie ist es nur möglich, daß die Hitze einer jungen, einigermaßen durchtrainierten Frau derart zu schaffen macht. Sie fühlt sich vollkommen erledigt, um nicht zu sagen ausgelaugt, ihr ganzer Körper lechzt nach eiskaltem Wasser.

Dieser plötzliche Wetterumschwung. Noch vor einer Woche hat es in Strömen geregnet, und jetzt diese unerträglichen Temperaturen. Die Hitze hat sich über die Stadt gelegt wie ein feuchtwarmes Tuch, beinahe möchte man ihr mörderische Absichten unterstellen. Mühelos schafft sie es, die ganze Gegend zu lähmen. Alte und Gebrechliche kollabieren auf offener Straße, kranke Herzen erleiden Infarkte, Schwangere gebären zu früh, das Martinshorn der Krankenwagen gehört bereits zum Alltag, man horcht kaum noch auf.

Im Kasten steckt eine bunte Ansichtskarte von Lea Brenning. Hohe Berge, blauer Himmel, Lea geht es gut, das Wetter ist schön, sie verbindet einer Mitreisenden zweimal täglich das offene Bein.

Aha, genau wie Johanna erwartet hat. Keine Affäre, kein Liebhaber mit grauen Schläfen, statt dessen profaner Alltag. Dafür braucht man sich nun wirklich nicht in einem überhitzten Bus durch die Gegend schaukeln zu lassen. Hier ist das Wetter auch sehr schön – Lea verträgt sowieso keine Sonne. Und kaputte Beine sollte es im Krankenhaus ja wohl mehr als genug geben. Heute hätte man gut ein Glas Wein zusammen trinken können, draußen im Garten. Zu gern hätte Johanna ihrer Vermieterin von ihrem Verdacht erzählt. Bei Helene ist es am Wochenende zu hektisch. Die findet garantiert keine ruhige Minute, um sich auf ein solches Gespräch einzulassen.

Montag

Bis an die Zähne bewaffnet mit Zahlen, Fakten und Statistiken beginnt Johanna am Montagmorgen ihren Dienst. Die Uhr zeigt gerade erst zehn vor acht. Bedauerlicherweise ist Heyne auch schon da, dabei wäre Johanna zur Abwechslung auch ganz gern mal die erste gewesen und hätte demonstrativ auf ihre Armbanduhr geschaut.

Sexueller Mißbrauch. Falls es überhaupt so was wie ein Schema gibt, dann paßt Melanie Feldmann da rein. Hat der Peschel nicht gesagt, sie hätte niemanden an sich rangelassen? Hat das nicht im Grunde jeder von ihr gesagt? Haben nicht alle fassungslos den Kopf geschüttelt – Melanie und schwanger, sie war doch noch so kindlich …

Und sei es die oft verlachte weibliche Intuition, in Johanna verstärkt sich von Stunde zu Stunde das Gefühl, ja, sie ist sich fast sicher, daß Melanie Feldmann aufgrund von Vergewaltigung, gleichgültig ob einmalig oder regelmäßig, schwanger geworden ist. Und daß der Täter sie aus Angst vor Bloßstellung erwürgt hat. Da hatte jemand was zu verlieren, seinen guten Ruf, vielleicht seine Familie, möglicherweise sogar sein geregeltes Einkommen … Bestimmt mehr als ein Schüler, dessen Freundin ungewollt schwanger wird.

Doch wo sind die Beweise? Womit kann sie das sture Männerpack auf die richtige Fährte locken?

Die Woche beginnt genau so, wie die letzte geendet hat. Es gibt nur ein Gesprächsthema. Robert Peschel, den hat man nämlich für zehn Uhr aufs Präsidium bestellt. Alle lauern darauf, Robert Peschel zu überführen. Alle – bis auf Johanna. Die brennt auf die richtige Gelegenheit, um ihre neuesten Erkenntnisse an den Mann zu bringen, doch vorerst kommt sie gar nicht zu Wort.

Wider Erwarten hält der Junge dem Verhör stand. Selbst die geballte Überzeugungskraft von drei gestandenen Kripobeamten kann ihn nicht dazu bringen, den Mord zuzugeben. Er besteht darauf, unschuldig zu sein. Zähneknirschend läßt der Hauptkommissar ihn gehen.

»Der war es«, wettert er los, als die Tür hinter Robert Peschel ins Schloß fällt. »Und am Ende kriege ich ihn auch!«

Man ist frustriert. Man ärgert sich, daß der Hauptverdächtige nicht weinend zusammenbricht und die Tat gesteht. Ein Fünfzehnjähriger gegen drei ausgewachsene Männer, der hat doch gar keine Chance, der wird schon noch gestehen, das wäre ja gelacht …

Hinter Johannas Schläfen kribbelt es wie tausend Ameisen. Zum Teufel, was quasseln die unentwegt von diesem Jungen, sie hat doch längst die Lösung gefunden. Endlich kann sie nicht länger an sich halten.

»Ich habe mich am Wochenende schlaugemacht. Habe einiges zum Thema sexueller Mißbrauch gelesen …«, beginnt sie zögernd.

Genausogut hätte sie eine Stinkbombe werfen können. Ein spürbarer Ruck erschüttert die Gegenseite. Dreifache Empörung, Heyne verzieht angewidert sein sonnenstudiogebräuntes Gesicht.

»Nicht schon wieder«, befiehlt er unmißverständlich im Chefton. »Ich habe Ihnen bereits ausführlich dargelegt, weshalb ich nichts von dieser Therorie halte. Bitte verschonen Sie uns mit solchen unausgegorenen Hirngespinsten. Bei der Kripo hält man sich an Tatsachen, das sollten Sie eigentlich wissen.«

Zwecklos, die sind nicht einmal bereit, ernsthaft über diese Möglichkeit nachzudenken. Haben sich in Robert Peschel verbissen wie Hunde in ein Karnickel. Die sehen und hören nichts anderes mehr und reagieren aggressiv, wenn ihnen jemand die Beute streitig machen will.

Am liebsten würde Johanna eine Wette vorschlagen.

Um viertel vor elf kleidet Vera Feldmann sich an. Ein schwarzes Kleid, ganz neu, sehr schick, zum schwingenden Rock ein schmales Oberteil mit gerafften Trägern. Doch zum ersten Mal in ihrem Leben freut sie sich nicht über ein neues Kleidungsstück. Sie hat das Kleid genommen, weil die Verkäuferin es ihr praktisch aufgeschwatzt hat. Es hätte auch ein anderes sein können, irgendeins. In den Spiegel hat sie kaum geschaut, ihr Äußeres spielt keine Rolle mehr.

Ihr Mann Dieter liest in der Küche die Tageszeitung. Sie hört es am Rascheln der Seiten beim Umblättern.

Ohne ein Wort verläßt sie die Wohnung. Ihr Ziel ist ein Blumenladen in der Wernerpassage, einer, den sie normalerweise nie betreten würde.

Mit hocherhobenem Kopf öffnet sie die Tür. Man tuschelt hinter ihrem Rücken, natürlich, neuerdings ist man ja stadtbekannt, ist das nicht die Mutter von diesem Mädchen im Park? Eine Verkäuferin, ein junges Ding in Jeans und einer rotgestreiften Bluse, sie wird noch keine zwanzig sein, eilt sofort herbei.

»Kann ich Ihnen behilflich sein?« erkundigt sie sich freundlich, und ihre flinken Augen huschen neugierig über Vera Feldmanns Gesicht, als wollten sie darin den Grad der Trauer auskundschaften.

Vera Feldmann schüttelt den Kopf. »Nein danke, ich möchte mich nur umsehen.« Sie gibt die Freundlichkeit nicht zurück, ihre Stimme klingt hart, unwirsch und weist die Kleine unmißverständlich ab.

»Wie Sie wünschen«, haucht das Mädchen eingeschüchtert und zieht sich zurück.

Unstet irrt der Blick Vera Feldmanns umher. Blumen, nein, Blumen interessieren sie nicht, auch keine Übertöpfe, Krüge oder Figuren. Sie sucht eine Frau. Auch eine Mutter, die Mutter der anderen Seite, die Mutter des Mörders.

Endlich entdeckt sie Frau Peschel, die gerade einen älteren Herrn bedient. Wie laut sie lacht, wie sie dabei den Kopf zurückwirft, völlig unbeschwert, als wäre sie mit sich und der Welt im reinen. Verbittert preßt Vera Feldmann ihre Lippen aufeinander. Wie kann die andere sich so aufführen, so unanständig sorglos geradezu, als könne ihr nichts geschehen, ihr und ihrem feinen Sohn, als könne man mit Geld alles kaufen. Mit starrem Blick fixiert sie die Gegnerin, minutenlang, bis Christine Peschel den Feindesblick körperlich spürt und irritiert den Kopf wendet. Sie schauen sich in die Augen, ein wortloser Kampf, der nur wenige Minuten andauert und den Christine Peschel verliert. Irritiert senkt sie die Augen.

Mit zufriedenem Lächeln verläßt die Siegerin den Laden. Draußen sieht sie auf ihre Uhr. Kurz vor zwölf. Noch eine Viertelstunde. Betont langsam maschiert sie Richtung Schule. Die Sonne brennt heiß auf ihr neues schwarzes Kleid, doch sie spürt nichts davon. Ihre Gedanken sind ganz woanders.

Punkt zwölf Uhr fünfzehn spuckt das alte, ehrwürdige Gebäude einen Schwall bunter, lärmender Schüler aus.

Sie sieht ihn sofort. Ein schwarzer Teufel, der sich von all den normalen Sterblichen abhebt. Ein Sonderling, ein Einzelgänger, ein Mörder. Mit ernstem Gesicht bahnt er sich seinen Weg aus der Menge, läuft ihr beinahe in die Arme.

Auch seine Augen geben nach, wie seine Mutter senkt auch er verlegen den Blick. Sie folgt ihm bis nach Haus.
Er wird seiner Mutter genausowenig davon berichten, wie sie ihm von Vera Feldmanns Besuch erzählen wird.

Dienstag

Wieder mal Helene, wieder mal Rosé, wieder mal allein.

»Na, Schätzchen, wie läuft es?« fragt die Wirtin gutgelaunt, während sie sich selbst einen quietschgelben Eierlikör kredenzt. Sie war beim Friseur, hat zum x-ten Mal, seit Johanna sie kennt, die Haarfarbe gewechselt. Diesmal ist es ein verwaschenes Grau geworden, das bläulich lila schimmert – und ihr absolut nicht steht. Man könnte meinen, Helene hätte sich eine trübe Regenwolke auf den Kopf gestülpt, was bei diesem Wetter bestimmt eine wunderbare Erfrischung wäre. Wie gewöhnlich trägt sie auch heute ein wallendes Baumwollgewand, eins von der Sorte, die man vor Jahren überall in den Indienläden kaufen konnte. Dunkelrote gemusterte Baumwolle, hauchdünn und trotzdem nicht durchsichtig. Gott weiß, wo sie diese altmodischen Dinger immer noch ausgräbt. Bei jeder Bewegung klimpert leise das glitzernde Sammelsurium an Schmuck, echt und unecht, Gold und Silber, mit dem sie sich so gern verschwenderisch behängt. Das I-Tüpfelchen ihrer abenteuerlichen Erscheinung bilden jedoch die künstlichen Fingernägel, wahre Mordwerkzeuge in Lilarosa, die an ihren faltigen Händen, übersät mit den bräunlichen Pigmentflecken des Alters, regelrecht ordinär wirken. Wie schafft sie es nur, trotz allem nicht lächerlich zu wirken. Helene, die Gute …

»Es läuft beschissen«, mault Johanna. »So beschissen, wie es beschissener gar nicht geht!«

Und sie schildert erbittert ihr Leid. Die ganze miese Geschichte. Ihren Verdacht, den die Männer aus Prinzip ablehnen.

Seltsam, Helene bezweifelt ihre Schlußfolgerungen nicht einen Moment.

»Klar hast du recht. Diese Abartigen lieben doch gerade Mädchen, die besonders kindlich wirken. Das ist ja ihr Tick. Ich habe neulich gelesen, daß die es sogar mit Babys treiben. Da kriegt man doch das kalte Kotzen! Männer!!!«

Zur Bekräftigung ihrer Abneigung gegen Männer klimpert sie mit ihren schwarzen, mindestens zwei Zentimeter langen künstlichen Wimpern und verdreht theatralisch die Augen. Helene verspricht, sich umzuhören. Ist doch immerhin möglich, daß eine der Frauen, die regelmäßig herkommen und ihr übervolles Herz ausschütten, schon mal was in der Richtung gehört hat. »Von Strack, hast du gesagt? Warte mal, den Namen schreib ich mir lieber auf.«

Höchstwahrscheinlich ist das illegal. Aber Johanna pfeift auf die Vorschriften. Heyne ist doch selber schuld, wenn er nur immer alles blockiert und nicht mitziehen will. Dann muß sie eben Helene zu ihrem persönlichen Spitzel ernennen. Im Fernsehen klappt so was immer.

Mittwoch

Hochbetrieb in Hannelores Boutique. Hannelore Mersmann, die Inhaberin, hat vor zwei Tagen die Fenster neu dekoriert. Weiß, reines, ungebrochenes Weiß kommt nie aus der Mode, ist und bleibt die Hochsommerfarbe schlechthin. Was könnte braungebrannte Haut besser zur Geltung bringen als Weiß. Hannelore Mersmann beherrscht die Kunst, in anderen Menschen Wünsche zu erwecken, sie hat ein feines Gespür für die geheimsten Träume der anderen, zumindest solange es um Mode geht. Eine seltene Gabe, von der es sich sehr gut leben läßt.

In diesem Moment thront sie selbstzufrieden an einer dekorativen, ganz auf Karibik gestylten Minibar, fröhliche Reggaerhythmen vom Band übertönen das leise Summen der Klimaanlage, sie schlürft eine eisgekühlte Cola mit reichlich Baccardi, und wartet auf Kundschaft, einer Spinne gleich, die sorgfältig ihr Netz gespannt hat und dann in aller Seelenruhe auf Opfer lauert, ganz erfüllt von wohliger Vorfreude.

Hannelores potentielle Opfer schleichen draußen auf der Straße vorbei, sie kann sie von ihrem Barhocker aus gut beobachten. Erschöpft, gebeutelt von der andauernden Hitze schleppen sie sich mühsam voran, jeder Schritt scheint eine Qual. Man leidet stumm, man schwitzt, man klebt am ganzen Körper, fühlt sich wie ein unansehnlicher, verwelkter Salatkopf, ohne Saft und Kraft, ein Opfer des Hochsommers. Ein müder Blick streift zufällig Hannelores Schaufenster. Ooooh. Sie kann beinahe sehen, wie die da draußen stutzen. Dieses kühle, erfrischende Weiß, dazu diese lässigen Schnitte, weite, luftige Bahnenröcke und zarte Träger-hemdchen, weichfallende Blusenjacken. Die Preisschilder sind mit Bedacht so winzigklein geschrieben, daß man sie gar nicht ernst nehmen kann. Draußen die feindliche, quä-lende Hitze, die alles zu versengen droht, und hier drinnen eiskaltes Weiß. Hat man da überhaupt eine Wahl?

In fast regelmäßigen Abständen taumeln rotgesichtige, schweißgetränkte Gestalten wie betäubt durch die Tür. Und Hannelore Mersmann begrüßt jedes ihrer Opfer mit einem freundlichen Lächeln. Ein leiser Glockenton zählt die Kun-den, ein anderer Glockenklang zählt das Geld in der Kasse. Ja, man hat sich nicht geirrt, die Farbe Weiß verbreitet angenehme Kühle. Oder sind es die Preise, die manch einen frösteln lassen? Doch wer wollte jetzt noch mit leeren Hän-den den Laden verlassen, sich wieder wehrlos der feind-lichen Sonne aussetzen, die ihre Opfer erbarmungslos über den kochendheißen Asphalt treibt? Wenigstens so ein klei-nes Top muß es sein, oder solch ein weiter Flatterrock, der den Wind förmlich einlädt. Man möchte sich endlich gegen die Sonne behaupten können. Genau wie die Laden-inhaberin, der diese mörderischen Temperaturen offen-sichtlich nichts anhaben können. Mit Neid kann man gute Geschäfte machen, das hat Hannelore Mersmann längst erkannt. Es genügt völlig, so zu sein, wie die anderen gern sein würden.

Gegenüber auf der anderen Straßenseite liegt das Büro von Dr. Holger Bötticher. Mehrmals täglich fällt sein Blick, ob zufällig oder absichtlich, auf die beiden Schaufenster, er registriert sofort, wenn sich dort etwas ändert. Bötticher ist ein sehr guter Kunde. Auch ihn hat das strahlende Weiß wie magisch angezogen.

Größe 36. Felicitas trägt immer noch Größe 36. Genau wie

damals. Die richtige Figur für ausgefallene Mode. Dr. Bötticher bildet sich viel ein auf seinen extravaganten Geschmack. Im Grunde kleidet er seine junge Gattin vollkommen ein. Bis auf ein paar belanglose Einzelstücke, die sie
unterwegs sieht und kurzerhand mitnimmt. Sachen, die sie
im Haus auftragen kann. T-Shirts, manchmal eine Jeans.
Doch alles, was gut und teuer ist, alles, was ihr wirklich steht,
was ihren Typ positiv unterstreicht, ihre wunderbaren For-
men betont, all das hat ihr Mann gekauft. Und Felicitas
sollte dafür dankbar sein, so empfindet er es jedenfalls. Ihr
eigener Geschmack ist viel zu unausgereift, zu bieder. Sie
hat kein Auge für die richtigen Farben, für das gewisse
Etwas.

Heute wählt er ein dreiteiliges Ensemble aus schneeweißem
Crêpe de Chine. Ein knöchellanger Glockenrock, ein hüft-
langes Top, ebenfalls glockig geschnitten, das vorn und
hinten spitz zuläuft, und darüber eine ärmellose Weste,
gerade eine Handbreit kürzer als der Rock. Wie üblich zahlt
Bötticher in bar. Seine schwarze Lederbrieftasche wölbt sich
vor Hundertmarkscheinen, was für ein beruhigender Anblick. Dicke Bäuche verbreiten nun einmal Seriosität.

»Grüßen Sie Ihre Frau. Das Kleid steht ihr bestimmt ausgezeichnet. Genau das Richtige für dieses Wetter«, verabschiedet Hannelore Mersmann den bekannten Rechtsanwalt. Sie
hat Felicitas Bötticher noch niemals gesehen. Eine Zeitlang
hegte sie sogar den heimlichen Verdacht, daß der Bötticher
die vielen schönen Kleider für sich selber kauft, daß er
daheim als Frau verkleidet vor dem Schlafzimmerspiegel
auf- und abflaniert. Heimlich. Abends. Daß er nichts weiter
wäre als eine gutgetarnte Tunte. Bis die Alltagslogik über
diese herrlich schrillen Träume siegte. Größe 36. Da könnte
er sich im Leben nicht reinzwängen. Es muß wohl doch eine
Frau Bötticher geben. Vielleicht ist sie sehr krank. Oder

abstoßend häßlich. Oder sie lebt ganz woanders. Weiß der Himmel.

Im Hintergrund wartet geduldig Greta Wollien. Insgeheim beneidet sie die Unbekannte, die heute abend so wertvoll beschenkt wird. Sie ahnt nicht, daß sie am Wochenende ihrer ehemaligen Mitschülerin Felicitas Schuhmann in eben diesen Sachen begegnen wird.

Donnerstag

Die Beerdigung.

All die Tage zuvor war Vera Feldmann sicher, sie könnte den endgültigen Abschied nicht ertragen. Dieses »nie wieder …«

Doch als der schlichte Eichensarg langsam in der dunklen Erde verschwindet – die Träger geben sich große Mühe, daß es behutsam und vor allem lautlos geschieht –, spürt sie eine tiefe Erleichterung in sich aufsteigen, ein warmes Gefühl, beinahe ist sie froh, ihr Kind der Erde übergeben zu dürfen. Dort unten ist Melli wenigstens in Sicherheit, geborgen vor Mörderhänden, vor scharfen Skalpellen, vor übler Nachrede, vor häßlichen Lügen. Alles irdische Leid hat ein Ende, so hat es der Pastor vorhin versprochen.

Ihr Mann weint, wie sie ihn noch nie hat weinen sehen. Er ist völlig zusammengebrochen. Also war das Kalte, Unnahbare, das sie in den letzten Tagen so abgestoßen hat, doch nur eine Täuschung. Ein Versuch, männlich zu wirken. Oder jedenfalls das, was er darunter versteht.

Melanies Schulkameraden sind gekommen. Die ganze Klasse, bis auf einen. Bis auf Robert Peschel, ihren Mörder. Denn das steht für Vera Feldmann felsenfest. Dieser Junge war es. Darum ist er heute auch nicht erschienen, so kaltschnäuzig ist selbst er nicht. Sogar die Polizei erweist Melli die letzte Ehre. Diese kleine Kommissarin mit den schrecklichen roten Haaren, deren Namen sie sich nicht merken kann.

Felicitas Bötticher probiert ihr neues Kleid vor dem Spiegel an, sie seufzt tief auf, zieht ihrem Spiegelbild eine Grimasse. Feigling, sag doch einmal, ein einziges Mal nein. Sag, das Kleid ist mir zu elegant, zu steif, zu damenhaft. Der vermeintlich hauchdünne Stoff mutiert an ihrem Körper zu Eisenstahl, zentnerschwer, zieht sie mit ungeahnter Macht zu Boden. Kein Kleid zum Lebendigsein, statt dessen wieder eines von der Sorte, die kein Lachen erlauben, die die Trägerin zur unnahbaren, königlichen Hoheit erstarren lassen. Eine neuerliche Rüstung für Felicitas, die wunderschöne Schaufensterpuppe.

Freitag

Freies Wochenende. Man hat sich übertrieben höflich voneinander verabschiedet. Johanna, die Aussätzige, die Spinnerin, die Frau mit den verrückten Einfällen, ist froh, zwei Tage lang nicht in die Betongesichter ihrer männlichen Kollegen schauen zu müssen, ihre kleine Festung innerhalb dieser Männerbastion nicht verteidigen zu müssen. Die Fronten im Ersten Kommissariat haben sich in dieser Woche sehr deutlich geklärt. Drei zu eins. Mann gegen Frau. Fortgeschrittene gegen Anfängerin. Er gegen sie. Wie auch immer. Vielleicht wäre die Situation nicht so schrecklich festgefahren, wenn es im Mordfall Feldmann endlich weitergehen würde. Doch man tritt auf der Stelle. Es gibt nur diesen einen unsicheren Kandidaten für den Part des Mörders, einen, der dieser anspruchsvollen Hauptrolle nicht gewachsen scheint. Wenn es nach Johanna ginge, sogar eine absolute Fehlbesetzung.

Zu Hause erwartet sie eine große Überraschung. Kaum, daß sie die Treppe erklommen und ihre Schuhe von der Füßen gestreift hat, klingelt es. Barfuß tappt sie die Stufen wieder runter.

Ein Überraschungsbesuch, dienstlich, wenn nicht alles täuscht. Christine Peschel steht vor der Tür. Ungewohnt schlicht in Jeans und T-Shirt, die Haare verstrubbelt, außerdem ungeschminkt. Bisher hätte Johanna beschwören mögen, daß sich unter der dicken Schicht Make-up eine sehr viel jüngere Christine Peschel versteckt, doch das erweist sich jetzt als Irrtum. Ihr nacktes Gesicht wirkt um Jahre älter, fahle Haut, ein dichtes Netz von Falten rings um die Augen, strenge Linien nehmen dem Mund seine Schönheit. Sie sieht aus wie ein schlecht beleuchtetes, nachlässig retuschiertes Abbild ihrer selbst. Oder wie jemand, der seit Tagen vor lauter Sorgen nicht mehr zur Ruhe gekommen ist.

»Entschuldigen Sie bitte die Störung, Frau Lauritz. Ich hätte Sie sehr gern unter vier Augen gesprochen.«

Was bleibt der völlig überraschten Johanna anderes übrig, als Frau Peschel hereinzubitten? Ein wenig verlegen lotst sie den unerwarteten Besuch an der Miniküche vorbei, in der sich ungespültes Geschirr türmt.

Im Wohnraum fängt sich das warme Sonnenlicht. Warme Erdfarben, lehmgelb an den Wänden, ein blasses, beinahe farbloses Mint auf dem Boden, grobgewebte Vorhänge in den typischen Farben der Provence, Terrakotta, Blau und Gelb. Ein runder Tisch und zwei Stühle, geerbt von Johannas alter Tante Gerlinde, kürzlich erst lavendelblau angestrichen und seither zum echten Schmuckstück avanciert, eine blaugemusterte Couch, aus der man mit wenigen Handgriffen ein Gästebett zaubern kann, Regale und ein Vitrinenschrank aus Kiefernholz. Für Johanna strahlt dieser Raum Wärme und Gemütlichkeit aus, sie liebt es, am Tisch vor dem Fenster stundenlang zu frühstücken, mit Blick auf den Garten, oder auch auf der Couch mit den vielen bunten Kissen ein Buch zu lesen. Frau Peschel scheint ihren Geschmack nicht zu teilen, sie würdigt die Umgebung keines Blickes.

Johanna überlegt, was sie anbieten soll. Ob ihr Gegenüber merkt, daß der Rotwein keine fünf Mark pro Literflasche gekostet hat? Wahrscheinlich. Also muß der Weinbrand auf den Tisch, Johannas eiserne Reserve.

Wer hätte das gedacht, Christine Peschel läßt sich nicht

lange bitten. Sie kippt den Weinbrand runter, anders kann man das nicht ausdrücken. Sie setzt das Glas an die Lippen, schließt die Augen und leert es auf einen Zug.

Ein leichtes Schütteln, ein vages Lächeln, das um Verständnis wirbt, sie braucht wohl Mut, um anzufangen.

»Tja, ich habe Sie einfach überfallen. Weil ich mir ein Gespräch unter den Augen Ihres Kollegen nicht vorstellen konnte. Irgendwie habe ich gehofft, daß Sie als Frau mich verstehen können ... Wissen Sie, ich habe ein Problem. Und ich weiß nicht, wie ich damit umgehen soll. Ich weiß nur, daß ich bald wahnsinnig werde. Sie müssen sich mal vorstellen, die Mutter von dieser Melanie kommt jeden Tag in mein Geschäft. Sie steht einfach nur da und starrt mir ins Gesicht.«

»Frau Feldmann kommt jeden Tag in Ihren Laden? Wozu?«

»Wozu? Was weiß ich! Vielleicht, weil sie glaubt, daß mein Junge ihre Melanie ermordet hat. Jeden Tag zwischen zehn und elf kommt sie. Man kann die Uhr danach stellen. Meine Verkäuferin ist auch schon ganz nervös. Gestern ist ihr eine dreihundert Mark teure Figur aus den Händen gerutscht, weil diese Frau wieder dastand und gaffte.«

Unvermittelt zündet Roberts Mutter sich eine Zigarette an, inhaliert ein paar tiefe Züge, dann fällt ihr die eigene Unhöflichkeit auf. »Entschuldigung, darf ich hier überhaupt rauchen?« murmelt sie verlegen.

Wortlos holt Johanna einen Aschenbecher.

»Ich bin fix und fertig. Sie tut mir ja nichts, sie bedroht mich nicht oder irgend so etwas. Aber ihre Anwesenheit macht mich ganz krank. Ich bilde mir schon ein, daß sie boshaft grinst, dabei ist das Unsinn, sie verzieht keine Miene. Wissen Sie, ich kann die arme Frau durchaus verstehen. Das Mädchen ist tot, die Polizei findet keinen Mörder. Und es gehen

Gerüchte um, daß mein Robert verdächtigt wird. Ist natürlich Blödsinn. Aber diese Frau klammert sich offenbar daran. Und jetzt kommt sie her und verfolgt mich mit ihren Blicken. Ich weiß ja, daß es Quatsch ist, aber ich fühle mich durch ihre Anwesenheit bedroht. Sie macht mir angst. Was ist, wenn sie in ihrem Kummer völlig durchdreht? Eines Tages holt sie eine Pistole aus der Handtasche und schießt mich über den Haufen. Oder schlimmer noch, wer sagt mir, daß sie nicht Robert auflauert …«

Angestrengt versucht Johanna sich vorzustellen, daß man vor der verzweifelten Frau Feldmann Angst haben kann. Es gelingt ihr nicht.

»Haben Sie mal versucht, mit ihr zu reden?« fragt sie vorsichtig.

Heftiges Kopfschütteln, als wäre dieser Vorschlag absurd.

»Aber was soll ich dabei tun? Soll ich zu Frau Feldmann gehen? Sie tut doch nichts Verbotenes. Wenn Sie als Ladeninhaberin nichts unternehmen mögen, ich als Kripobeamtin kann es gar nicht. Das Betreten Ihres Geschäfts ist schließlich nicht strafbar. Gehen Sie doch auf Frau Feldmann zu. Fragen Sie einfach, was Sie von Ihnen will.«

»Ich glaube, ich fürchte mich vor dem, was Sie sagen wird.«

Eine ehrliche Antwort. Darauf kann man nichts erwidern. Beide wissen, was Vera Feldmann sagen wird. Und was Christine Peschel keinesfalls hören möchte.

»Wissen Sie, tausendmal hab ich mich schon gefragt, warum ich damals nicht einfach gelogen habe. Warum konnte ich nicht sagen, daß der Junge pünktlich zu Hause war. Weshalb bloß hat man uns in diesem beschissenen Land zu blindem Gehorsam gegenüber allen Obrigkeiten getrimmt? Nicht mal eine Lüge für das einzige Kind ist drin. Vielleicht sollte man die ganze Geschichte überhaupt auf sich beruhen lassen. Ist doch sowieso vorbei. Die Kleine wird davon ja

auch nicht mehr lebendig.« Trotzig drückt sie die halb-
gerauchte Zigarette im Aschenbecher aus.

»Aber, Frau Peschel, wie können Sie so was sagen! Sie sind
doch selber eine Frau! Berührt Sie so ein Mord denn gar
nicht? Ein Mädchen von fünfzehn Jahren, das kann man
doch nicht so einfach vergessen!«

Samstag

Johanna schläft gründlich aus. Bis halb eins. Den Nachmittag verbringt sie zwischen kreischenden Kindern und schimpfenden Müttern im überfüllten Freibad. Mit Erholung hat das herzlich wenig zu tun. Den Abend genießt sie auf ihrer geliebten Couch. Das Fernsehen zeigt einen französischen Krimi, ähnlich wirklichkeitsfremd wie alle anderen. Schade, daß die Wahrheit so ganz anders aussieht. Im Mordfall Melanie Feldmann ist der Mörder weder dazu bereit, läppische Fehler zu machen, noch kommen ihr unerklärliche glückliche Zufälle zu Hilfe. Im Gegenteil. Sie muß nicht nur den Mörder überführen, sondern auch noch gegen ihre störrischen Kollegen ankämpfen.

Wieder eine Karte von Lea. Immer noch Sonnenschein, immer noch Berge, das Bein der Mitreisenden ist geheilt, jetzt kümmert sie sich um eine sehbehinderte ältere Dame.

Christine Peschel erwartet an diesem Morgen beinahe ungeduldig den Besuch von Melanies Mutter. Die Kommissarin hat völlig recht. Man muß sich ein Herz nehmen und auf die Frau zugehen, einfach ein Gespräch beginnen. So kann es schließlich nicht endlos weitergehen. Sie ist regelrecht enttäuscht, als Vera Feldmann ausgerechnet heute nicht auftaucht. Als ahne sie etwas. Trotzdem fühlt Christine Peschel sich von einer Zentnerlast befreit. Am Abend wird sie Robert zu einer Pizza bei seinem Lieblingsitaliener einladen. Alle Welt soll sehen, daß sie nicht an irgendeine Schuld ihres Sohnes glaubt. Woher sollte sie auch wissen, daß Robert um diese Zeit mit einem Rucksack an der Autobahn Richtung Süden steht und den Daumen raussteckt? Ein LKW-Fahrer hält in dem Augenblick, als seine Mutter den Zettel findet, auf dem er ihr mitteilt, daß er das Wochenende bei seinem Freund Tobias verbringen werde. Daß er fünfhundert Mark aus der Anrichte genommen hat, merkt sie nicht, Christine Peschel hat selten genauen Überblick, wieviel Geld sie zu Hause aufbewahrt. Haut der Bengel einfach ab, ohne Bescheid zu sagen. Hätte er nicht wenigstens im Laden anrufen können? Einerseits ist sie natürlich erleichtert, daß er sein normales Leben wieder aufnimmt, andererseits ärgert sie sich über so eine Hals-über-Kopf-Entscheidung. Ein Wochenende mit Tobias im Wohnwagen seiner Eltern. Ohne jede Rücksprache. Manchmal ist Robert genauso egoistisch wie sein Vater. Christine Peschel glaubt den geschriebenen Worten und gibt ihrem Sohn damit unwissentlich genug zeitlichen Vorsprung, um spurlos zu verschwinden. Den zweiten Brief, den er vorsorglich unter seiner Bettdecke versteckt hat, wird sie erst am Sonntagabend finden.

Zur selben Zeit feilt Greta Wollien ihre Fingernägel sorgfältig, um sie anschließend knallrot zu lackieren. Die Bluse hängt erwartungsvoll auf einem Kleiderbügel, schwarze Seide, die matt glänzt. Noch fünf Stunden …

Hauptkommissar Heyne, der sich maßlos über den Stillstand im Mordfall Feldmann ärgert, der sogar schon darüber nachgedacht hat, daß diese lästige Johanna doch recht haben könnte, Stefan Heyne entschließt sich kurzfristig, das Wochenende bei seiner Schwester in Augsburg zu verbringen. Mag ja sein, daß es weiterhilft, völlig abzuschalten und am Montagmorgen noch einmal ganz neu anzufangen. Im

Moment rutscht er, ob er will oder nicht, immer wieder in die gleichen, ausgetretenen Gedankenpfade.

An diesem Abend findet im »Grauen Esel«, einem mäßig beliebtem Lokal, dessen Preise allerdings ebenfalls mäßig sind, was wiederum als großer Vorteil anzusehen ist, das Klassentreffen statt. Die ehemaligen Klassensprecher des Abgangsjahres 1982 haben eingeladen. Kurzfristig war die Überlegung aufgekommen, die Feier wegen des Mordes zu verschieben, wurde aber wieder verworfen. Gut, eine Schülerin ihrer alten Realschule ist ermordet worden. Ein schrecklicher Vorfall, das stimmt schon. Doch im Grunde eine Zeitungsstory wie jede andere auch. Man bekommt eine Gänsehaut, wenn man darüber liest, traut sich vorläufig nachts nicht mehr allein in den Stadtpark, vergewissert sich lieber zweimal, daß die Haustür wirklich abgesperrt ist, und fühlt sich dennoch nicht persönlich betroffen. Nicht einmal die ehemaligen Lehrer, Dr. Prock, Herr von Strack, Frau Lehmann und Frau Werner haben abgesagt, und die kannten das Mädchen sogar persönlich. Also kann alles so ablaufen wie geplant.

Greta Wollien erscheint als eine der ersten. Gut schaut sie aus. Die Tarnung ist perfekt gelungen. Hautenge Jeans, die deutlich ihre immer noch schlanken Hüften betonen, schwarze Pumps mit silbernen Stilettoabsätzen, dazu die neue schwarze sündteure Seidenbluse – deren oberste Knöpfe sie bewußt nicht geschlossen hat – und nichts darunter, nur nackte gebräunte Haut. Das mittelblonde Haar fällt glatt bis weit über die Schultern, dunkelrote Lippen lächeln kühn.

Zwanzig Minuten später erscheint die weiße Dreierkombination aus Crêpe de Chine auf der Bildfläche. Die Frau, die darin steckt, erkennt sie sofort. Felicitas Schuhmann, wie sie damals hieß. Immer noch die gleiche zerbrechliche Schönheit. Felicitas ist sich selbst treu geblieben, hat nichts an ihrer Erscheinung verändert, weder Frisur noch Haltung, ja nicht einmal diesen leicht weltfremden Gesichtsausdruck. Sie hat so was von einer verhuschten Märchenprinzessin an sich, das schon vor hundert Jahren auf alle Männer gewirkt hat. Dann war der Typ in Hannelores Boutique wohl ihr Gatte, ihr Prinz. Bißchen alt, der Knabe, aber man kann eben nicht alles haben. Den Anblick seiner Brieftasche jedenfalls hat sie nicht vergessen. Man könnte glatt neidisch werden. Felicitas braucht sich ihre Edelklamotten jedenfalls nicht mühsam zusammenzuvögeln.

Bis um einundzwanzig Uhr sind vierzig der ehemaligen Schüler anwesend. Die restlichen elf werden wohl nicht mehr erscheinen. Man unterhält sich angeregt, weißt du noch, Mensch, das waren Zeiten, was machst du eigentlich … alle Gespräche verlaufen praktisch nach dem gleichen Schema, jeder schönt sein Leben, so gut es eben geht. Man wirft um sich mit großartigen Berufen, mit unerwarteten Beförderungen, mit großen Häusern und dicken Autos, jeder hat genau den richtigen Ehepartner gefunden, die Kinder sind einfach zauberhaft, du müßtest sie mal sehen, kurz, jeder lebt rundum zufrieden und glücklich, wenigstens für diese paar Stunden.

Katja Merker, die jetzt Frau Starkowski ist, und deren schlanke Knabengestalt sich irgendwo in einer weichen, fülligen Frauenfigur verloren hat, erzählt gerade von ihren drei reizenden Kindern. Die Älteste ist schon neun. Gleich nach der Schule ein Kind, keine Berufsausbildung, wer hätte das ausgerechnet von Katja gedacht, wollte die nicht ursprünglich Modedesignerin werden?

Da öffnet sich mit leisem Quietschen die Eingangstür für die vier Lehrer: Frau Hermann, ergraut und eher um zwanzig als um zehn Jahre gealtert, man munkelt, daß sie an Brustkrebs leidet, eine Seite soll man ihr kürzlich abgenommen haben, dann Frau Lehmann, genauso drahtig und voller Elan wie zu ihren Schulzeiten, Dr. Prock, der enorm in die Breite gegangen ist und gleichzeitig kleiner wirkt, als ob sich seine Körpermassen einfach neu verteilt hätten, und ... Hilmar von Strack.

Ein Deich bricht, eine Erinnerung, zehn Jahre lang scheintot, erwacht aus ihrer Erstarrung, explodiert förmlich, alles mühsam Vergessene strömt mit Urgewalt in ihr Bewußtsein zurück, Katastrophenalarm! *Felicitas, komm bitte in der großen Pause in mein Büro!!!* Seine gräßlichen Finger in ihrem Schlüpfer, verdammt, das tut weh, sein widerliches Stöhnen, diese Ewigkeit bis zum *du kannst jetzt gehen!* Und wieder eine Zwei in Mathe.

Wie konnte ich *das* vergessen? Wie konnte ich *das Schwein* vergessen?

Er, der die Deichmauern zum Bersten gebracht hat, schaut sich um, lächelt kühl auf die Anwesenden herab, hält hof. Sucht er sein ehemaliges Opfer?

Und während Felicitas Bötticher krampfhaft den Blick abwendet, um sich nicht auf ihn stürzen zu müssen, sucht Greta Wollien sehr bewußt seine Aufmerksamkeit. Hallo, hier bin ich. Glaub bloß nicht, daß du mich kaputtgemacht hast. Und wenn man heute tausendmal in der Zeitung liest, daß sexuell mißbrauchte Mädchen einen Schaden fürs Leben davontragen – ich nicht!!! Aus mir ist was geworden! Mehr als du dir je hast vorstellen können. Sieh dir gefälligst meine Bluse an!

Das monotone Dröhnen von dreihundertzwanzig PS wiegt Robert Peschel sanft in den Schlaf, unruhige Träume, während der Dreißigtonner Kilometer um Kilometer unter seinen riesigen Doppelreifen zermalmt, Italien rückt immer näher. In Roberts Rucksack befindet sich ein Zettel mit der letzten Anschrift seines Vaters. Massimo Tarocci, San Vernare, das muß irgendwo bei Rimini liegen. Die wenigen Briefe seines Vaters, fünf sind es nur, fünf kurze Briefe in holperigem Englisch, von denen seine Mutter wohl glaubte, sie lägen sicher versteckt in ihrem Schreibtisch, er hat sie alle heimlich gelesen. Wieder und wieder. Der letzte Brief ist elf Jahre alt. My son Roberto nennt er ihn darin. Roberto Tonio Peschel.

Der Fahrer denkt sich nicht viel dabei, zur Ferienzeit einen Jungen mit in den Süden zu nehmen. In diesen Monaten stehen viele Tramper an der Straße, Jungs, die für wenig Geld in die Sonne wollen. Warum nicht, er war schließlich auch mal jung, kann sich noch gut daran erinnern, er hört gern jemanden reden, schaut gern in ein freundliches Gesicht. Nur Mädchen, nein, die läßt er neuerdings an der Straße stehen. Zweimal ist es in letzter Zeit vorgekommen, daß die Mädchen, die er mitgenommen hat, ihm eindeutige Angebote gemacht haben. Für zwei Blaue kannste rechts ranfahren, Alter. Ganz junge Mädchen, höchstens sechzehn. Nein, wenn man selber eine Tochter in dem Alter hat, kann man das nicht. Mädchen übersieht er jetzt einfach. Mit so was will er nichts zu tun haben.

Sonntag

Möcht nich' wissen, was fürn Saufhaufen die uns hinterlassen haben. Unsere Diana sagt, an die fünfzig Mann waren da, zwei Klassen. Und die meisten Lehrer. Soll hoch hergegangen sein. Den ollen Prock mußten sie mit ein paar Mann nach Hause schleppen. Der konnte kaum noch laufen. Seine Alte soll getobt haben«, kichert Helma Meyer, eine etwa fünfzigjährige Blondine.

Neben ihr schüttelt eine gleichaltrige Frau, die dennoch einer anderen Generation anzugehören scheint, den Kopf. »Diethelm hat es nicht so gut gefallen. Die meisten hat er gar nicht mehr richtig gekannt. Na ja, ist eben schon lange weg von hier, mein Junge. So eine Riesenstadt wie Berlin verändert mit der Zeit jeden Menschen. Was soll der mit denen von hier noch groß reden? Ach, Mutti, hat er heute morgen beim Frühstück gesagt, das ist nicht mehr meine Welt. Ich kam mir richtig fehl am Platz vor.«

Helma Meyer verdreht die Augen. Immer dieselbe Leier, mein Diethelm ist was Besseres geworden, mein Diethelm ist Diplompsychologe, der fühlt sich hier doch nicht mehr wohl. Hier doch nicht! Das predigt seine Mutter endlos. Angeblich hätte er ja am liebsten, daß sie zu ihm nach Berlin zieht, regelrecht beknien würde er sie … Von wegen, das hat man nämlich schon ganz anders gehört. Daß die Färber ihren Sohn seit Jahren anbettelt, sie mit nach Berlin zu nehmen und der nicht mal im Traum daran denkt.

Die beiden Frauen kennen sich seit fünfzehn Jahren. Eben weil die beiden Kinder eine Klasse besucht haben. Und seit fünfzehn Jahren sind sie sich nicht gerade sympathisch. Helma Meyer hat nicht schlecht gestaunt, als Herr Görlitz ihr die neue Kollegin vorgestellt hat. Ausgerechnet diese weinerliche Transuse Emmi Färber. Aber seit der alte Chef weg ist, läuft hier eben alles schief. Zum Glück ist die Färbersche nur am Wochenende da, in der Woche schafft Helma Meyer die Arbeit gut allein. Aber Freitag und Samstag ist hier eine Menge los, und entsprechend viel muß geputzt werden. Vor allem, seit der Chef das Lokal ab zwölf Uhr mittags an Gesellschaften vermietet. Geburtstage, Hochzeiten, Jubiläen, Konfirmationen, neuerdings gilt es als chic, jeden Mist außer Haus zu feiern. Dabei ist das Essen im »Grauen Esel« nicht gerade was Besonderes, das könnte bestimmt niemand behaupten, es ist eben nur sehr preiswert. Und in diesen unsicheren Zeiten sehen die Leute wieder aufs Geld.

Helma Meyer schließt die Hintertür des »Grauen Esels« auf. Der gewohnte Geruch nach Alkohol und abgestandenem Qualm schlägt den beiden Frauen feindlich entgegen, doch sie nehmen ihn kaum wahr. In weniger als zwei Stunden soll hier ein achtzigster Geburtstag gefeiert werden.

»Na, dann nichts wie los, um so schneller sind wir fertig«, seufzt Emmi Färber und reißt alle Fenster auf.

Häßliche Flecken auf den Tischtüchern, sämtliche Aschenbecher laufen über, wie üblich hat der Chef die letzten Gläser nicht gespült.

»Schweinebande«, schimpft Helma Meyer. »Immer dasselbe! Wenigstens die Aschenbecher hätten die doch leermachen können. Aber nein. Das haben die feinen Herrschaften nicht nötig! Wir können ja zusehen, wie der Qualmgestank bis heute mittag verschwindet!«

Der Inhaber, Frank Görlitz und seine Freundin, die sich lieber Lebensgefährtin nennt, lassen mit Vorliebe alles stehen und liegen, wenn es später wird. Schließlich hat man für so was Personal. Wozu leistet man sich sonst diesen Luxus? Helma Meyer, die schon beim Vorpächter saubergemacht hat, ärgert sich immer wieder darüber. Herr Parkmeyer, der leider ein Lokal in Hannover übernommen hat, hätte ihr so was nie im Leben zugemutet. Der hat grundsätzlich abends noch alle Ascher geleert, die Gläser gespült – und gelüftet. Bei dem konnte sie ihr Geld weiß Gott leichter verdient.

Eine Viertelstunde später, genau um zehn Uhr siebzehn, öffnet Emmi Färber mit demütiger Miene die Tür zum Herrenklo. Natürlich, sie opfert sich wieder auf. Für die bequeme Meyer, die mit dem bißchen Tischabräumen nicht fertig wird, für ihren Diethelm, der seine Mutter am liebsten vergessen würde, einfach aus seinem Leben streichen, für die Nachbarin, die sich ständig Zucker und Salz leiht, ohne je etwas davon zurückzubringen. Für eine ganze Welt von Schmarotzern und Egoisten. Jetzt für diese Schweine, die das ganze Klo vollgekotzt haben.

»Ich muß das wieder machen, wer sonst ...«, flüstert sie verbittert, während sie mit Bürste und Seifenlauge die besprenkelten Kachelwände schrubbt. Diethelms Gesicht beim Frühstück, sein unfreundlicher Tonfall, nun laß doch, ich habe keinen Hunger. Mutti, hörst du mir gar nicht zu, ich will nichts essen ...

Dieser Ton, dieser abwehrende Ton, als würde sie ihm sonstwas antun.

Helma Meyer öffnet um zwanzig nach zehn die Tür zur Küche. Ein merkwürdig süßlicher Geruch schlägt ihr entgegen, beim besten Willen fällt ihr nicht ein, was so riechen könnte. Haben die etwa die restlichen kalten Platten nicht wieder in den Kühlschrank gepackt? Das wäre typisch! Ärgerlich reißt sie die Tür zum Vorratsraum auf.

»Neeeiiiin!«

Rotes Blut auf weißen Kacheln. Das gelblichgraue Gesicht dümmlich verzogen, die Augen ungläubig aufgerissen, erwartet sie dort drinnen ein Toter. Auf dem Rücken, die Beine leicht gespreizt, liegt er in einer klebrigen roten Pfütze, obenherum korrekt gekleidet in einen dunkelgrauen Zweireiher, untenrum trägt er die Hose auf halbmast, außerdem schwarze Socken und polierte Lackschuhe. Welch ein Anblick, makaber, grausam und gleichzeitig unendlich komisch. Diese nackten blassen Männerschenkel zu dem eleganten Jackett, oben hui, unten pfui! Wenn nur das Blut nicht wäre. Dunkelrot, eine heftige, wütende Farbe, aggressiv und bedrohlich. Dazu dieser fremdartige Geruch. Und Helma Meyer, die Resolute, die Abgebrühte, die Kaltschnäuzige, kotzt ins Spülbecken. So viel blutiges Rot kann sie beim besten Willen nicht ertragen.

Sekunden später steht Emmi Färber, angelockt von dem schrillen Nein, mit weitaufgerissenen Augen in der Tür. Kaum zu glauben, gut, daß niemand es je erfahren wird, doch ihre erste Regung ist Neid. Sie fragt sich tatsächlich, weshalb ausgerechnet Helma die Leiche finden durfte. Helma Meyer findet eine Leiche, und Emmi Färber schrubbt ein vollgekotztes Klo. Sie könnte glatt losheulen ...

»Wir müssen die Polizei rufen«, keucht Helma Meyer, deren Magen nichts mehr hergeben will. Und plötzlich lacht sie auf, hysterisch und wild. »Schau mal in seine rechte Hand, seine Hand, und schau mal da unten! Der hat ja keinen Pimmel mehr!«

Der Tote ist entmannt worden. Und der Mörder hat ihm sein abgetrenntes Glied in die rechte Hand gelegt.

»Das ist ja pervers, ein Perverser hat das getan«, schluchzt

Emmi Färber auf. »Das geht nun wirklich zu weit!«, wobei die Betonung auf *das* liegt und damit der abgeschnittene Penis und nicht etwa der Mord gemeint ist.

Dann sehen sie die Schrift auf den Kacheln.

Johannas großer Tag. Heyne verbringt das Wochenende bei seiner Schwester in Süddeutschland. Ist zwar informiert, kann aber vor achtzehn Uhr keinesfalls zurück sein. Und Roland Bierwirth, der Ärmste, liegt krank im Bett. Eine Magen- und Darmgrippe hat ihn aus dem Verkehr gezogen. Er muß sich ständig in Reichweite des Klos aufhalten. Der Weg zum Tatort ist viel zu weit. Natürlich muß sie den Lohse ertragen, doch vom Dienstrang her steht sie als Oberkommissarin natürlich über einem Oberkriminalmeister. Super.

Betont lässig betritt sie die Szene, geradezu filmreif. Genau wie der französische Kommissar gestern abend. Fehlt nur noch der saloppe Trenchcoat. Na gut, dafür ist es heute viel zu warm. Mit ihren feuerroten Haaren, dem schlichten ärmellosen Shirt und dem superkurzen schwarzen Lederminirock sieht Johanna eher wie eine Studentin als wie eine Kriminalkommissarin aus. Auch die Birkenstocksandalen an den nackten Füßen und ihre bunte Holzperlenkette flößen nicht gerade Respekt ein. Doch ihr Benehmen läßt erst gar keinen Zweifel an ihren Absichten aufkommen. Ein würdevolles Nicken in Richtung Lohse. Na, was haben wir bis jetzt? lautet die Frage. Und er muß antreten zum Appell. Welch unerwarteter Triumph. Aber es soll noch besser kommen. Kennen wir den Toten nicht? Da liegt doch tatsächlich der smarte Hilmar von Strack. Als Eunuche allerdings, wie peinlich für ihn. Und der Täter hat mit rotem Lippenstift quer über die weißen Kacheln geschrieben: *Rache für M. und alle davor!*

Edgar Lohse kaut nervös auf seiner Unterlippe. »Das war garantiert 'ne Frau. So was würde kein Mann tun!« Mehr fällt ihm dazu nicht ein.

Nur mit Mühe kann Johanna sich das Lachen verkneifen. Klar war das 'ne Frau. Paß du bloß auf dein bestes Stück auf. Schnipp und schnapp, schon ist er ab!

»Wer hat die Leiche gefunden?« fragt sie statt dessen einen der Grünuniformierten. Der weist mit dem Kopf auf zwei Frauen mittleren Alters in Kitteln. Putzfrauen. Sichtlich geschockt von der Situation, was schließlich nur zu verständlich ist. Wer außer der Kripo ist schon an den Anblick einer blutüberströmten Leiche gewöhnt.

Johanna stellt sich vor. »Mein Name ist Johanna Lauritz, ich bin Oberkommissarin bei der Mordkommission und leite vorläufig die Ermittlungen.« Kommissarisch hätte sie noch hinzufügen müssen, aber eine kommissarische Kommissarin erscheint ihr im Moment als zu verwirrend. So hält sie nur ihren Dienstausweis hin.

»Wer hat den Toten entdeckt?«

Die Blonde, die ihr auf Anhieb symphatischer war, hat das große Los gezogen. Sie ist die Hauptzeugin.

»Darf ich Sie bitten, mit mir zu kommen. Sie wissen sicher, wo wir uns hier in Ruhe unterhalten können.«

Die Blonde nickt, ihre Stimme klingt heiser, wie zerbrochen. »Unser Clubraum geht doch wohl, liegt gleich gegenüber«, schlägt sie vor und räuspert sich dann kräftig. »Bloß nicht noch mal in die Küche.« Das hört sich schon bedeutend lebendiger an.

»Keine Sorge«, beschwichtigt Johanna, die auch keine große Lust auf geronnenes Blut und kalte Männerleichen hat.

Der Clubraum mißt höchstens zwanzig Quadratmeter, nur ein sehr kleiner Club könnte hier tagen. Ein langer Tisch mit einer nicht ganz sauberen beigefarbenen Kunstfaserdecke, garantiert bügelfrei, Plastikaschenbecher, die für Weinbrand werben. Zwanzig Chromstühle, kunstlederbezogen, unter dem Fenster steht eine schlichte Anrichte, mehr Inventar gibt es nicht, mehr würde hier auch gar nicht reinpassen. Das Fenster ist pflegeleicht mit künstlichen Blumen dekoriert, Alpenveilchen in einem derart grellen Rot, wie die Natur selbst es niemals zustande bringen würde. Sie stehen, wie könnte es anders sein, in billigen Plastikübertöpfen. Darüber hängen schlaff gebauschte Wolkenstores, leicht angegilbt. Der Clubraum mutet so gemütlich an wie eine Bahnhofskneipe in einem gottverlassenen Ort.

Johanna Lauritz setzt sich an den Tisch und kramt Block und Schreibstift hervor.

»Darf ich um Ihre Personalien bitten?«

Die Blonde seufzt tief auf. Hier, weit entfernt von der Küche mit allem ihrem Greuel, gelingt es ihr, wieder einigermaßen fest und selbstsicher zu sprechen.

»Helma Meyer, geboren am dritten Oktober 1949. In Bremen, falls das wichtig ist. Ich arbeite hier als Reinigungskraft.«

Johanna ist froh, daß die andere ein besseres Wort für Putzfrau gefunden hat. Putzfrau, das klingt so billig und wertlos, klingt nach unterbezahlter Frauenarbeit. Paßt gar nicht zu dieser Frau. Reinigungskraft hört sich bedeutend besser an, obwohl es natürlich das gleiche bedeutet.

Weiter im Text. »Sie haben den Toten entdeckt?«

Noch ein tiefes Aufseufzen. Die Blonde, die also Helma Meyer heißt, streicht fahrig ihr halblanges Haar zurück. Erstaunt bemerkt Johanna, daß Frau Meyer hellorange lackierte Fingernägel hat, ziemlich lange dazu. Warum auch nicht? Wer sagt, daß Putzfrauen abgearbeitete Hände haben müssen, revidiert sie mit schlechtem Gewissen diese Vorstellung.

»Ja, genau. Ich hatte das Pech, ihn zu finden. Dachte ja immer, mich haut so leicht nichts um, aber so viel Blut, also, das war dann doch zuviel für meinen Magen.« Sie lacht nervös auf, und wieder bahnen die Finger mit den orangefarbenen Nägeln sich einen Weg durch die blonden Strähnen. »Daß es der Herr von Strack ist, hab ich zuerst gar nicht erkannt.«

»Sie kennen ihn?«

Die andere nickt. »Klar doch. War immerhin der Mathelehrer meiner Tochter. Die war gestern abend ja auch hier. Klassentreffen. Ich hab denen sogar noch den ›Grauen Esel‹ vorgeschlagen. Dachte, mein Chef ist ein bißchen großzügig mit dem Preis, weil ich hier arbeite. War natürlich nichts. Hat genausoviel genommen wie sonst. Typisch für den. Jedenfalls waren die ehemaligen Lehrer auch mit eingeladen. Mensch, meine Diana wird gucken, wenn ich ihr das erzähle …« Sie hält erschrocken inne. »Sind die jetzt nicht alle verdächtig?«

Allerdings. Hoffentlich waren nicht zu viele da, dann dauern die Ermittlungen nämlich ewig. Man wird sehen.

»Wir beide fahren zu seiner Witwe«, blafft Johanna wenig später Edgar Lohse an. Genau in dem Tonfall, den Heyne ihr gegenüber in solchen Fällen anschlägt.

»Die Spurensicherung macht hier weiter.«

Ganz unerwartet schießt ein schwitzender, blasser Mann, er mag etwa Mitte Dreißig sein, auf sie zu und versperrt ihr mit ausgestreckten Armen den Weg.

»Ist es richtig, daß Sie die Ermittlungen leiten?« Dabei betont er das Sie, als wäre Johanna in seinen Augen die absolute Fehlbesetzung für diesen Job.

»Allerdings«, pariert sie kühl.

»Ich bin der Besitzer hier. Hören Sie mal, so geht das aber nicht. So nicht! Sie ruinieren mir ja das Geschäft! Um zwölf

Uhr haben wir Gäste. Punkt zwölf erwarte ich eine geschlossene Gesellschaft, vierundzwanzig Leute, eine Geburtstagsfeier. Bis dahin muß hier alles picobello aufgeräumt sein! Ich weiß wirklich nicht, wie Sie das schaffen wollen!«

So ein aufgeblasener Spinner. Johanna grinst gehässig und stößt ein rüdes: »Das können Sie vergessen!« hervor.

»Wie bitte? Ich höre wohl nicht recht. Was glauben Sie eigentlich, wer Sie sind?« empört er sich weiter. »Immerhin leben wir in einem freien Land. Ich brauche mir solche Gestapomethoden nicht gefallen zu lassen. Ich werde mich bei Ihrem Chef beschweren!«

»Ich bitte darum.«

Lohse, der zuerst wohl gehofft haben mag, dieser Typ würde Johanna so richtig die Meinung sagen, sie womöglich in Grund und Boden brüllen – was er sich zweifelsohne von Herzen gewünscht hätte –, schaltet sich ein, denn jetzt geht es gegen die gesamte Polizei, und damit auch gegen ihn. Gestapomethoden!

Bedrohlich baut er sich vor Görlitz auf, seine Muskeln drohen das Shirt zu sprengen. »Nun halten Sie mal die Luft an, Freundchen. Immerhin ist hier ein Mord geschehen. Schon mal was von Tatortsicherung gehört? Den Geburtstag können Sie mit gutem Gewissen absagen, daraus wird sowieso nichts. Bis wir hier fertig sind, vergehen noch einige Stunden. Gut möglich, daß wir den Tatort sogar bis auf weiteres versiegeln.« Was natürlich völliger Quatsch ist, dem Inhaber jedoch die Sprache verschlägt.

Noch bevor er sich erholen kann, stürmt eine junge Frau herein und wirft sich mit einem schrillen »Schatz, ich habe schon alles gehört!« auf ihn. Da sie mindestens zwanzig Zentimeter größer ist, dazu auf hohen Absätzen balanciert und außerdem keinesfalls zart gebaut ist, wirkt es, als wolle sie ihn unter ihren beachtlichen Körpermassen begraben.

Johanna wendet sich belustigt ab. Dieser Frank Görlitz scheint heute Opfer aller Frauen zu sein.

Übrigens verkörpert seine Freundin genau den Typ Frau, den Edgar Lohse bewundert. Groß und gut gebaut, runde Hüften, ein üppiger Busen, ein echtes Vollweib. Was will die eigentlich mit so einem Gartenzwerg?

Görlitz, dem das Ganze scheinbar peinlich ist, stellt die Rothaarige als seine »Bekannte« vor.

»Lebensgefährtin, Schatz!« verbessert sie ihn spitz, und er wagt keinen Widerspruch. »Mein Name ist Ilka Kremer und ich bin hier für den Service zuständig. Möchten Sie meine Aussage gleich zu Protokoll nehmen?«

Die Lady weiß, was sie will. Johanna fordert Edgar Lohse auf, sich Frau Kremer zu widmen. Und ahnt nicht, daß sie ihn damit direkt in den siebten Himmel abkommandiert.

In der Küche hat sich nichts verändert. Von Strack liegt immer noch in seinem geronnenen Blut, seltsam starr inmitten der hektischen Betriebsamkeit. Der Fotograf flucht, weil er einen neuen Film einlegen muß, die Beamten der Spurensicherung laufen mit gesenkten Köpfen herum, in den Händen tragen sie kleine Plastikbeutelchen und Pinzetten, sie erinnern an emsige Insektensammler, die ein besonders seltenes Exemplar einer bestimmten Spezies suchen. Jemand spricht die genaue Tatortbeschreibung auf Band.

Anders als es bei Melanie Feldmann gewesen war, kann Johanna diese männliche Leiche ganz gefühlsneutral betrachten. Sie spürt kein Mitleid, nicht mal Ekel, eigentlich gar nichts, höchstens ein gewisses Maß an Zufriedenheit, weil irgend jemand in ihrem Sinn gehandelt hat. Da liegst du nun, du erste Stufe meiner Karriereleiter, schaust noch viel jämmerlicher aus als das Mädchen, richtig lächerlich. Eigentlich sollte man den Täter nur suchen, um ihm einen

Orden zu verleihen. *Rache für M. und alle davor.* Ja, die Rache ist gelungen, und dabei sollte man es ruhig belassen.

Es vergehen mehr als zehn Minuten, bis Lohse schließlich mit dieser Kremer wieder auftaucht. Seine Ohren leuchten rot, sie grinst spöttisch. Sieht aus, als hätten sie sich anzügliche Witze erzählt oder sonstwas getrieben. Neues hat er nicht erfahren, sie bestätigt die Aussagen ihres Lebensgefährten in allen Punkten.

Jetzt ist Johanna endlich wieder dran mit Befehlen.

»Wir fahren zu seiner Witwe. Die Adresse hab' ich schon.«

Konrektor Hilmar von Strack wohnt, vielmehr wohnte, in der Lindenallee.

»In fünf Minuten ist man von hier aus im Stadtpark, in zehn Minuten in der Schule. Zu Fuß. Die ideale Wohnlage für den Mord an Melanie Feldmann.«

Diesen Triumph kann Johanna sich einfach nicht verkneifen. Ihr Kollege nickt säuerlich, er kann leider nicht widersprechen.

Nr. 17. Eine hohe Lebensbaumhecke hält neugierige Blicke fern. Das Haus schlummert noch mit fest geschlossenen Augen. Man sieht nur weiße Mauern und herabgelassene Außenrolläden. Links am Haus ein Wintergarten mit geschlossenen Innenjalousien. Johanna klingelt. Hoffentlich merkt Lohse nichts davon, wie aufgeregt ihr Herz flattert, wie feucht ihre Hände sind. Zum allerersten Mal muß sie selbst eine Todesnachricht überbringen.

Die weiße Tür öffnet sich lautlos. Die Frau dahinter blinzelt mißtrauisch ins Tageslicht. »Frau von Strack?«

»Ja bitte?«

Zunächst die gesetzlich vorgeschriebene Legitimation. »Kriminalpolizei. Dürfen wir vielleicht reinkommen?«

»Einen Moment bitte.« Frau von Strack nimmt es genau.

Aus der Tasche ihres Morgenmantels zaubert sie eine Goldrandbrille. Das filigrane Brillengestell, das eher wie ein Schmuckstück denn als Sehhilfe wirkt, steht ihr ausgezeichnet.

Ganz sorgfältig studiert sie die Ausweise, vergleicht die Fotos mit den Personen an ihrer Haustür – ein bulliger Bodybuilder und ein rothaariges Mädchen in Leder –, schließlich lächelt sie entschuldigend.

»Sie verstehen gewiß, daß ich sichergehen möchte. Heutzutage hört man ja die schlimmsten Geschichten über Betrüger. Aber anscheinend ist alles in Ordnung. Treten Sie bitte näher.«

Im Flur versinkt man knöcheltief in dunkelroter Auslegeware, darüber haben die von Stracks drei rötlichgemusterte Orientbrücken gebreitet. Der Platz reicht kaum aus, um diese angemessen zur Geltung zu bringen. Ein schmaler Spiegel mit eingeschliffener Jugendstilbordüre reicht von der Decke bis zum Boden, gedämpftes Licht kriecht aus versteckten Strahlern, die Wände sind mit einem chintzähnlichen Material in Beige bezogen. Alles sehr geschmackvoll – und gewiß nicht billig.

Das Wohnzimmer übertrifft diese gediegene Eleganz noch bei weitem. Die vorherrschenden Farben sind Bordeaux und Hellgrau, als Farbtupfer dienen feingestreifte Kissen in verschiedenen Rotschattierungen. Eine hochbeinige Polstergarnitur, ein ovaler Eßtisch mit feingeschwungenen Stühlen, vor dem Kamin zwei Ohrensessel. Die Stilrichtung dürfte altenglisch sein, Chippendale oder so was. Alles hier scheint perfekt, wie aus einem Guß, selbst die Blumen auf dem Couchtisch passen farblich genau ins Bild. Wer so lebt, wer sich so eingerichtet, geht unbeirrt seinen Weg, hier ist kein Platz für spontane Einfälle. Ohne nachzuschauen, weiß man bereits, daß jeder Teller, jede Tasse mit Bedacht gekauft wird, sogar das Grau des Morgenmantels harmoniert hervorragend mit der Umgebung.

Die hellgrauen Vorhänge zeigen ein eingewebtes Blumenmuster. Jetzt werden sie energisch zur Seite gezogen. Durch eine riesige Glasfront kann man direkt in den Wintergarten schauen. Selbstverständlich ist er klassisch eingerichtet mit naturfarbenen Rattansesseln und viel üppigem Grün.

»Nehmen Sie bitte Platz«, fordert die Frau im Morgenmantel auf. Sie zeigt keinerlei Gefühlsregung. Weder Besorgnis um den nichtheimgekehrten Gatten noch simple Neugierde. Seltsam. Für die meisten Menschen bedeutet das unerwartete Erscheinen der Kripo automatisch, daß etwas Schlimmes passiert sein muß.

»Was führt Sie zu mir?« Dann ein wenig kokett die Bemerkung: »Sie müssen entschuldigen, daß ich noch nicht angezogen bin. Sonntags schlafen wir gern länger.« Wie genau sie weiß, daß die graue Seide ihr schmeichelt.

Irgendwie erleichtert ihr kühles Verhalten es Johanna, die Wahrheit auszusprechen.

»Frau von Strack, nehme ich an?«

Als Antwort ein freundliches Nicken.

»Sie sind verheiratet mit Herrn Hilmar von Strack?«

Beinahe königlich neigt sie den Kopf. »Ja gewiß, mein Mann schläft allerdings noch. Da gab es gestern eine Feier, ein Ehemaligentreffen seiner Schüler. Ich nehme an, es ist sehr spät geworden.«

Ein kleiner Stolperstein. Was soll das denn jetzt heißen, ich nehme an, es ist sehr spät geworden. Mein Mann schläft noch. Leben die beiden getrennt?

»Sie sind absolut sicher, daß ihr Gatte noch schläft?«

Jetzt hebt Frau von Strack die Augenbrauen. Ein wenig erstaunt, man könnte beinahe sagen, eine klitzekleine Spur entrüstet, weil die junge Frau dort, die sowieso nicht wie eine Beamtin ausschaut, ihr Wort anzweifelt.

Schließlich siegt die gute Erziehung, sie lächelt nachsichtig. »Aber ja, ich *bin* mir vollkommen sicher. Oder bestehen Sie darauf, daß ich nachschaue? Was führt Sie überhaupt zu uns?

»Frau von Strack, es ist schrecklich. Aber heute morgen wurde ihr Mann im ›Grauen Esel‹ tot aufgefunden ...«

Mit einem Satz springt sie auf, ihr Seidenmantel klafft auseinander, zeigt nackte Beine, sehnig, weiß und von blauen Adern überzogen, nicht ganz so perfekt wie alles andere hier.

»Doch nicht mein Mann ...«, stößt sie hervor. Und hastet davon, wohl um das Gegenteil zu beweisen.

Sekunden später stürzt sie ins Zimmer zurück.

»Er ist nicht da. Sein Bett ist nicht benutzt«, stößt sie fassungslos heraus. »*Mein* Mann ist tot? Wirklich tot?« Sie schaut von einem zum anderen.

Und keine einzige Träne. Kein Schluchzen. Nichts dergleichen. Nur Erstaunen. Offenbar bedarf sie keines Trostes. Höchstens einer amtlichen Bestätigung, daß Hilmar von Strack tatsächlich von den Lebenden zu den Toten gegangen ist.

»Und wie? Ich meine, wie ist es passiert?«

Ein wenig verlegen blättert Johanna Lauritz in ihrem Notizbuch. Jetzt wäre es gar nicht so schlecht, wenn Heyne dabei wäre und sie nichts zu sagen brauchte. Das mit dem abgetrennten Penis ist gar nicht so einfach auszusprechen. Jedenfalls nicht seiner Ehefrau gegenüber. Oder sollte sie das vorläufig weglassen?

»Er wurde erstochen. In der Küche des ›Grauen Esels‹. Wahrscheinlich gegen fünf Uhr morgens. Und Sie haben ihn nicht vermißt?« erkundigt sich Edgar Lohse, der das zögerliche Verhalten seiner Kollegin augenblicklich ausnutzt, um selbst ins Geschehen eingreifen zu können.

»Nein. Bei solchen Gelegenheiten schläft mein Mann in seinem Arbeitszimmer. Um mich nicht zu stören, ich habe nämlich einen sehr leichten Schlaf.«

Johanna kramt ihren Stift hervor. Ihre Stimme wird amtlich. »Wann haben Sie Ihren Gatten zuletzt gesehen?«

Täuscht es, oder zögert die Angesprochene auffällig lange? Und steigt sich nicht verlegene Röte in die blassen Wangen? »Nun, es muß etwa zwanzig Uhr dreißig gewesen sein. Bevor er aus dem Haus ging. Ich war zwar auch eingeladen, aber, ehrlich gesagt, lege ich auf *derartige* Feiern keinen Wert.«

Allein die Art, wie sie das Wort betont, macht allen Anwesenden klar, daß sie Klassentreffen als unter ihrer Würde ansieht. Gleich darauf liefert sie die nähere Erklärung: »Man kennt ja niemanden, und es wird dort gewöhnlich auch sehr viel getrunken. Mein Mann mußte natürlich seinen Verpflichtungen nachkommen.«

Für einige Minuten starrt Frau von Strack angestrengt aus dem Fenster. Dann erklärt sie mit fester Stimme: »Ich möchte ihn sehen. Egal, wie man ihn zugerichtet hat, ihn möchte ihn ein letztes Mal sehen. Darf ich Sie bitten, mich zu begleiten? Ich kleide mich rasch an.«

Johanna nickt automatisch. Kaum, daß Frau von Strack aus der Tür ist, flüstert Edgar Lohse: »Die hat keine Miene verzogen. Irgendwas stimmt da doch nicht. Verhält sich so eine Frau, die soeben erfahren hat, daß ihr Mann ermordet worden ist?«

Es vergehen genau sechseinhalb Minuten, schon steht Frau von Strack, ihrem neuen Witwenstatus entsprechend in elegantes Schwarz gekleidet, in der Tür. »Gehen wir?« Wie gefaßt sie ist – sie benimmt sich ja beinahe, als wolle man gemeinsam ins Theater gehen.

Unterwegs spricht sie kein einziges Wort.

Beim Anblick ihres erstochenen Ehemannes bricht sie in ein krächzendes Schluchzen aus, schlägt theatralisch die Hände vors Gesicht – und dennoch keine Tränen. Ob sie die Schrift an den Kacheln gesehen hat, wird für immer ihr Geheimnis bleiben.

Hilmar von Strack, geboren am 2. 2. 1938 – gestorben am 23. 6. 1992. Irgendwann in den frühen Morgenstunden, etwa zwischen drei und fünf Uhr, der Polizeiarzt will sich momentan noch nicht genauer festlegen.

Für die meisten hat der Sonntag längst begonnen. Die Kirchgänger sind wieder zu Hause, sie haben ihre Sünden brav abgebetet, man versammelt sich um den Mittagstisch, um den obligatorischen Braten zu genießen.

Greta Wollien, die genaugenommen Margarete heißt, diesen Namen für eine Sechsundzwanzigjährige jedoch völlig unmöglich findet, liegt noch im tiefsten Schlaf. Margarete. Unter einer Margarete stellt sie sich eine quengelnde Achtzigjährige vor, zahnlos und steif von Arthritis, ein schwarzgekleidetes Ungeheuer, dessen einzige Lebensfreude darin besteht, die gesamte Verwandtschaft zu schikanieren. Eben ihre Großtante Margarete, der sie den unseligen Namen zu verdanken hat. Ihre Eltern hatten gehofft, der Name würde ihr ein großartiges Erbe sichern. Welch ein Unsinn. Die Alte war genauso arm wie der Rest der Familie. Und ihre letzten paar Habseligkeiten hatte sie kurz vor ihrem Tod noch schnell der Gemeindeschwester geschenkt. Aus purer Gehässigkeit. Die guten Goldrandteller, die silberne Anstecknadel, die selbstgehäkelte Bettdecke, all das bekam Schwester Trude, als Dank für ihre Bemühungen, für die unzähligen Spritzen, für das Waschen und Umlagern, für das Bettenbeziehen und Lüften. Der gierigen

Verwandtschaft blieb nur billiger Plunder, zerlöcherte Bettwäsche, zerlumpte Kleider; nicht einmal wert, sich darüber
zu zerstreiten.

Gretas Zuhause. Das bißchen Licht, das seinen Weg unter
den zu kurzen Gardinen in das Appartement findet, läßt
alles noch schäbiger, noch unwohnlicher erscheinen. Auf
dem Boden abgenutzte, fleckige Auslegware in einem unde-
finierbaren Neutralton, irgendwo zwischen Braun und Grau
angesiedelt, ein Kleiderschrank, dessen rechte Tür schief in
den Angeln hängt, daneben eine Regalwand, lieblos vollge-
stopft mit Taschenbüchern, lauter Liebesromane, Märchen
für erwachsene Mädchen, daneben ein bißchen zusammen-
gesuchtes Geschirr. In der Zimmermitte stehen zwei Sessel,
ein Tisch und eine Schlafcouch. Die verblichene Damast-
bettwäsche hat Greta vor Jahren für ein paar Mark in einem
Secondhandladen ergattert.

Die junge Frau auf der Couch schläft mit offenem Mund.
Ihr leises Schnarchen ist das einzige Geräusch im Raum. Sie
liegt auf der Seite, hat beide Beine angezogen, die Hände
unter dem verwühlten Kopfkissen versteckt. Ihr schwarzer
Slip ist an der Seitennaht breit ausgefranst. Für neue Unter-
wäsche gibt sie selten Geld aus.

Im gesamten Zimmer liegen Kleidungsstücke verstreut,
Jeans, Schuhe, schwarze Perlonstrümpfe, eine schwarze Seidenbluse.

Schlechte Luft, eine Mischung aus Schweiß, Mundgeruch
und muffiger Wäsche.

In eben diesem Moment klingelt das Telefon laut und
fordernd.

»Verflucht, welcher Idiot ruft mitten in der Nacht an?«
stöhnt Greta Wollien, doch ein Blick zur Uhr verrät, daß sie
sich zumindestens in der Zeit irrt; von wegen mitten in der
Nacht, es ist bereits Mittag.

Leider will das Telefon keine Ruhe geben, ärgerlich streckt sie den Arm aus und hebt ab.

»Jaaaa? Hier Greta …«

An der Stimme, die aufgeregt und schrecklich lebendig aus dem Hörer sprudelt, verbrennt sie sich beinahe.

»Hey, Greta, pennst du etwa noch? Hier ist Diana. Du, ich hab 'ne Neuigkeit, die ist jede Störung wert. Echt. Halt dich fest. Gestern nacht hat jemand den von Strack erstochen …«

An dieser Stelle legt die Anruferin eine wirkungsvolle Pause ein, wohl um Greta Zeit für einen entsetzten Ausruf zu geben. Als sich jedoch herausstellt, daß Greta Wollien zu keinem Kommentar bereit ist, setzt der Redeschwall von neuem ein.

»Ausgerechnet Mutti hat ihn heute morgen gefunden. In der Küche vom ›Grauen Esel‹ lag er, alles war voller Blut, echt widerlich, sie mußte glatt loskotzen. Jemand hat den alten von Stack abgestochen wie ein Schwein. Mit einem Messer aus der Restaurantküche. Der Mörder hat das Messer einfach dort liegenlassen, ohne Fingerabdrücke natürlich. Wie es aussieht, sind wir jetzt alle mordverdächtig. Irre, was? He, sag mal was!«

»Wahnsinn«, flüstert Greta Wollien tonlos. »Absoluter Wahnsinn.«

»Die Kripo sucht nach den Leuten, die bis zum Schluß geblieben sind. Hast du vielleicht 'ne Ahnung, wer die letzten Mohikaner waren?«

»Nein, wieso ausgerechnet ich?« fährt Greta erschrocken auf.

In ihrem Kopf summt und brummt es, Gedankenfetzen schwirren durcheinander, ein Schwarm aufgeregter Wespen, laute Musik, Gelächter, grinsende Gesichter, darunter auch das von Hilmar von Strack. Doch so sehr sie sich auch bemüht, Greta kann sich an nichts Konkretes erinnern. War sie selbst eine der letzten?

»Entschuldige, Diana, das muß ich erst mal verdauen. Außerdem ist mir speiübel. Ich lege auf. Ich melde mich später, okay?«

»Alles klar. Ich hab' sowieso noch eine ganze Liste von Leuten, die ich unbedingt anrufen will. Stell dich ausgiebig unter die kalte Dusche, würde ich vorschlagen. Du hörst dich an, als wenn du gestern nacht richtig versackt wärst. Bis später.«

Leere Versprechungen. Beiden ist klar, daß sie weder heute noch morgen noch nächstes Jahr miteinander telefonieren werden. Sollte man sich jemals wiedersehen, dann rein zufällig. Oder aber auf dem nächsten Klassentreffen. Greta Wollien und Diana Meyer haben nichts gemeinsam. Nichts bis auf sechs gemeinsame Schuljahre.

Mühselig setzt Greta sich aufrecht. Wellenförmige Übelkeit und Kopfschmerzen zwingen sie zu langsamen Bewegungen, ein Zustand übrigens, der ihr keineswegs fremd ist, beinahe jeden Sonntag fühlt sie sich ähnlich schlecht. Gewöhnlich bleibt sie dann bis zum späten Nachmittag im Bett, schläft, döst, verträumt die Zeit. Dann wird geduscht, gegessen, und gegen Abend bummelt sie meistens noch mal durch die Lokale. Manchmal trifft man jemanden …, hundertfünfzig Mark sind 'ne Menge Geld für eine Fabrikarbeiterin.

Sie startet einen halbherzigen Versuch, den gestrigen Abend zu rekonstruieren.

Zuerst zwei kleine Bier, nein drei, dann Weinbrand, den Eugen Jonas reingeschmuggelt hatte, davon mindestens vier oder fünf, später Bier vom Faß, halbe Liter – aber wieviel? Und noch zwei oder drei Ouzo mit Diethelm Färber. Schaudernd erinnert sie sich, daß der Diethelm versucht hat, bei ihr zu landen. Hat sie ständig begrabscht mit seinen ekelhaft weißen Lehrerfingern. Danach wieder Bier vom Faß. Getanzt hat sie auch. Erst mit Diethelm, bis der ihr zu aufdringlich wurde. Später mit Eugen, einmal mit dem alten Prock, irgendwann zwischendurch auch mal mit Wolfgang, Mensch, der Wolfgang war mal ihre heimliche Liebe, der sah damals auch toll aus. Hat sich leider schlecht gehalten, reichlich Fettpolster angesetzt, seine Haare gehen auch schon aus, außerdem ist der längst verheiratet. Seine Frau arbeitet als Friseuse, ein oder zwei Kinder. Der Idiot hat extra seinen Ehering abgenommen …, die Kerle sind doch alle gleich dämlich.

Filmriß. Irgendwann gegen Morgen ein gähnendes schwarzes Loch. Wie um alles in der Welt ist sie nach Haus gekommen, wann, mit wem? Keine Ahnung, ihr Kopf ist absolut leer, als hätte jemand darin gründlich ausgefegt. Verfluchter Mist. Und der von Strack ist tot. Er, den sie gehaßt hat wie niemanden sonst. Abgestochen. Blut, Messer, Schule, Hilmar von Strack, weiße Hände, lange Finger, die weh tun können …

Urplötzlich springt Greta auf, sie stürzt sich förmlich auf die verstreut umherliegenden Sachen. Sind da etwa Blutflecken drauf? Die Vorhänge werden mit heftigem Ruck zur Seite gezerrt.

Da, Flecken auf der schwarzen Bluse. Undefinierbare dunkle Sprenkel. Nicht eindeutig rot, aber würde man rotes Blut auf schwarzem Grund überhaupt erkennen können? Kriminaltechnisch nachweisen, das ja, aber mit bloßem Auge erkennen? Rotweinflecken auf schwarzer Seide, bleiben die auf Dauer rot?

Fest steht, daß diese Bluse sofort gewaschen werden muß. Am besten gleich ausgekocht, doch dafür ist diese zarte Seide bestimmt nicht gedacht. Handwäsche steht auf dem

Innenetikett dieser Luxuskreation, ein Einzelstück aus Hannelores Boutique. Sauer verdient mit diesem blöden Edgar Lohse, diesem stumpfsinnigen Bumser, der sich für den großartigsten Lover weit und breit hält.

Verbrennen wäre wohl das Beste, oder wegwerfen, aber sollte die Polizei tatsächlich aufkreuzen – wo ist die Kleidung, die Sie auf der Feier trugen, nach unseren Informationen muß es eine schwarze Bluse sein, aus Seide, wir müssen alles auf Blutspuren untersuchen ... Tut mir leid, die hab' ich schon weggeworfen, das mache ich immer so. Kaufe mir Boutiqueklamotten, ziehe sie einmal an und schmeiße sie dann weg. Waschen liegt mir nicht so ... Mist, das geht nicht, das wäre zu verdächtig. Waschen, ja, Waschen ist normal. Die Bluse war verschwitzt. Hat nach Rauch gestunken. Irgendso 'ne dußlige Erklärung. Aber nicht in die Kochwäsche, kein Mensch mit Verstand kocht eine Seidenbluse, nicht mal eine so miese Hausfrau wie Greta.

Wenig später stopft sie Bluse und Jeans, einige Spitzenslips und zwei Shirts in die alte Waschmaschine. Waschpulver reichlich, vierzig Grad und fertig. Das muß genügen. Schade, daß sie ihr Waschpulver bei Aldi holt. Das aus der Werbung, das mühelos alle Flecken entfernt, auch Blut- und Fettflecken, schon bei niedrigen Temperaturen, ohne die Farben anzugreifen, dieses Zaubermittel wäre jetzt angebracht. Die Bluse wird ausfärben, wird ihre ohnehin nicht mehr schneeweißen Slips unansehnlich ergrauen lassen. Aber das weiß sie jetzt noch nicht, und es wäre ihr auch egal. Undefinierbare Flecken, eine Leiche und ein Filmriß. Und nicht zuletzt ein abgrundtiefer Haß ...

Diethelm Färber lauscht auf das monotone Rattern der Eisenbahn. Noch eine gute Stunde bis Berlin. Ein kurzer Blick zur Uhr, ja, inzwischen ist Mama daheim. Wahrscheinlich starrt sie gerade fassungslos auf seine kurze Nachricht. Mußte los, hab' heute Nachtdienst, hat er frech gelogen und konnte sich das hämische Grinsen nicht verkneifen.

Draußen fliegt die Landschaft vorbei, zum Glück in die richtige Richtung. Die Welt rast rückwärts, dorthin, wo er eine freudlose Kindheit verbracht hat. Erdrückt von einer weinerlichen Mutter, geknebelt, gefesselt und zu Tode geliebt. Jeder Meter Bahngleis bedeutet ein Stück Freiheit. Als würde man durchs Wasser tauchen, nach oben zum Licht. Und das schummrige Halbdunkel, die lauernden Fische, Mama, die ihn immer mehr an einen dümmlich glotzenden Karpfen erinnert, die grünen Pflanzen mit ihren klebrigen Fangarmen, alles bleibt zurück. Ein wunderbares Gefühl. Auf zu neuen Ufern. Nach Berlin. Wie von selbst fallen Diethelm Färber die Augen zu, und er sinkt in einen unruhigen Schlaf.

»Mir können Sie doch nichts vormachen«, höhnt der verhaßte Hilmar von Strack. »Sie und Diplompsychologe …, zufällig weiß ich ganz genau, daß Sie die Zulassungsprüfung zum Studium gar nicht bestanden haben. Sie jobben in der Psychiatrie, ohne jede Ausbildung, stimmt's? Ich hab' nämlich einen Vetter, der dort arbeitet. Den habe ich mal gefragt. Sie und Diplompsychologe, der hat sich schier kaputtgelacht!« Sein häßliches Gesicht verzieht sich zu einem gemeinen Lächeln.

Halt die Klappe, halt endlich deine gottverfluchte Lehrerklappe, am liebsten würde ich dir das große Maul für immer stopfen … Alter Widerling! Betätschel du lieber wieder die Mädchen! Darin bist du doch einsame Spitze! Wer weiß, ob du nicht diese arme Kleine um die Ecke gebracht hast, weil dir zum ersten Mal ein ernstes Mißgeschick passiert ist! Verpiß dich bloß, du mieser Wichser!

Schweißgebadet wacht Diethelm Färber auf, sein Herz rast,

seine Zunge klebt am Gaumen, das feuchte Hemd engt seine zittrigen Gliedern unangenehm ein. Er braucht einen Moment, um sich zurechtzufinden. Ach ja, er befindet sich auf der Flucht Richtung Berlin. Gott sei Dank, erleichtert schmiegt er sich in die kühlen Kunstlederpolster.

Lydia von Strack ist wieder zu Hause.
Sie steht vor dem Schlafzimmerspiegel und übt ihre Trauer ein. Der verbitterte Gesichtsausdruck, das ständige Reiben der Augen, die beim besten Willen keine Tränen hergeben wollen, aber immerhin durch die stetige Reizung mittlerweile leicht gerötet sind, alles muß echt wirken. Sechs Wochen Schwarz sind das mindeste, hat sie sich vorgenommen.
In Wahrheit ist Lydia so glücklich wie seit Jahren nicht. Seit vierundzwanzig Jahren genau, oder nein, die ersten vier kann man getrost abziehen, da hat sie noch nichts gewußt, glaubte sich naiverweise im siebten Himmel. Blind vor Liebe. Zwanzig höllische Jahre sollten folgen. Aber das ist vorbei. Wie abgeschnitten. Mit Hilmar von Strack ist es vorbei. Er, besser gesagt das, was von ihm übriggeblieben ist, wird demnächst in der schwarzen Erde des städtischen Friedhofs eingegraben. Beerdigt nennt man das. Beerdigt wie begradigt oder auch beseitigt. Ha, sie könnte sich ausschütten vor Lachen. Sein dummes Gesicht, kindlich erstaunt, die Augen ungläubig aufgerissen, so muß er jetzt in die Ewigkeit eingehen, und was das Beste ist, er erscheint dort als Eunuche, schwanzlos. Nicht nur erstochen, o nein, am Ende noch mit der Tatwaffe entmannt. Ein herrlicher Gedanke. Dieser seiner Meinung nach wichtigste Körperteil, dieses Folterinstrument lag in seiner steifen Hand wie ein blutiges geschrumpftes Bockwürstchen, ein lächerlicher Anblick, ja am Ende war alles nur noch lächerlich.
Übermütig prostet Lydia ihrem Spiegelbild zu: »Chiao, mei-

ne Süße. Auf ein besseres Leben! Du hast es wahrhaftig verdient!«

Bei Diethelm Färber klingelt das Telefon. Gerade erst zu Hause, schon erinnert Mama an ihre Existenz.

»Ja, klingle du nur«, murmelt er böse, während er mit zittrigen Fingern eine Packung Valium aus der Schreibtischschublade kramt. »Beklag dich ruhig, daß dein Junge einfach ausgerissen ist. Daß du deine Scheißrouladen allein essen mußtest. Weißt du eigentlich, daß ich Rouladen hasse? Und deinen Rotkohl erst, der hängt mir seit Ewigkeiten zum Hals raus!«

Gierig schluckt er die weißen Tabletten, zwei auf einmal, ein Schluck Gin zum Spülen. Er läßt sich auf den Korbstuhl fallen, schließt die Augen, wartet auf die erlösende Entspannung.

Wenn nur das verfluchte Klingeln nicht wäre. Da, schon wieder …

Wutentbrannt reißt er den Hörer ans Ohr.

Sie natürlich, wer sonst. Noch ehe er etwas sagen kann, jammert Emmi Färber los:

»Junge, warum bist du denn fort? Ohne ein Wort zu sagen. Ich wollte dir doch dein Lieblingsessen kochen. Rouladen und den Rotkohl, den du immer so gern magst …«

Ein verzweifelter Schluck Gin.

»Junge, sag doch was.«

»Mama, ich mußte los. Hab es dir ja aufgeschrieben. Muß arbeiten, hier ist jemand ausgefallen. Wegen Grippe. Du weißt, wie es in der Psychiatrie zugeht.« Immer diese Lügen. Wenn er sich nicht jedesmal den Rückweg freilügen würde, niemals käme er fort von ihr.

»Du, Diethelm«, flüstert sie beschwörend, als würde Gott weiß wer zuhören. »Junge, hör doch mal. Gestern nacht haben Sie den Herrn von Strack ermordet. Im ›Grauen Esel‹. Erstochen. Stell dir das mal vor. Ich werde der Polizei sagen, daß du früh zu Hause warst. Gegen Mitternacht.«

»Wieso, hat die Polizei nach mir gefragt?« Der leichte Valiumschleier weht davon, läßt ihn nackt und wehrlos zurück.

»Unsinn«, beschwichtigt Mama ihren Jungen durchs Telefon. »Niemand hat speziell nach dir gefragt. Sie suchen nur die Leute, die bis zuletzt da waren. Er ist nämlich gegen fünf Uhr erstochen worden. Verstehst du? Ich sage einfach, du warst gegen Mitternacht daheim. Ich habe in der Stube ferngesehen. Merk dir das, ich habe ferngesehen als du kamst. Aber du bist gleich ins Bett gegangen. Wir haben nicht mehr zusammen gesprochen. Du hast mir nur eine gute Nacht gewünscht.«

Liebe Mama, allerbeste Mama, dafür esse ich noch tausendmal deine zähen Rouladen und dein lasches Rotkraut.

»Danke, Mama.«

»Um Mitternacht, vergiß das nicht«, ermahnt sie ihn streng. So wie sie früher gesagt hat, zieh eine Jacke an, vergiß nicht den Regenschirm, hast du die Aufgaben auch ordentlich gemacht …

Gegen Abend liegt endlich die vollständige Liste der Leute, die am vergangenen Abend im ›Grauen Esel‹ den zehnten Jahrestag ihrer Schulentlassung gefeiert haben, auf Johannas Schreibtisch. Die ersten Namen sind bereits abgehakt, die ersten Vernehmungen gelaufen. Wie verängstigt die Menschen gleich reagieren, wenn man die Kripomarke herzeigt, oder sollte man besser sagen, wie schuldbewußt. Manche gebärden sich vor Schreck wie wild, regelrecht aggressiv, schreien unnötig herum, drohen mit ihrem Anwalt, klammern sich an Schlagworte wie etwa Polizeistaat, andere bringen kaum ein klares Wort hervor, stammeln

Unzusammenhängendes, das man hinterher umständlich sortieren und in die richtige zeitliche Reihenfolge bringen muß.

Trotzdem ist es gar nicht mal so übel, was sie vorweisen kann, als Hauptkommissar Heyne gegen achtzehn Uhr mit hochrotem Kopf die Tür aufreißt und atemlos: »Was haben wir bis jetzt?« keucht. Wahrscheinlich ist er in seiner Angst, sie hätte bereits alle wichtigen Spuren übersehen und den Fall hoffnungslos verpfuscht, alle vier Treppen zu Fuß hochgerast. Die Zeit zum Umkleiden hat er sich jedenfalls nicht gegönnt. Er trägt doch wahrhaftig einen Jogginganzug und darunter ein schwarzes T-Shirt, ein Muskelshirt auch noch. Und er schnappt nach Luft, als wäre er den ganzen weiten Weg von Augsburg bis hierher gerannt, er klammert sich förmlich an den Türrahmen, als würde er jeden Moment vor Erschöpfung zusammenbrechen.

Mit mildem Lächeln, sehr ruhig und abgeklärt, empfängt Johanna ihren Chef. Sie beschreibt die Tat, die Schrift auf den Kacheln, zeigt die Liste der Anwesenden, faßt kurz die bisherigen Vernehmungen zusammen. Absichtlich läßt sie zwischen den Worten lange Pausen, um Heynes Ungeduld noch ein wenig länger auszukosten. Lady Cool. Das Beste zum Schluß.

Für M. und alle davor. Heynes Gesicht verliert auf einen Schlag alle Farbe.

»Donnerwetter. Das hätte ich nicht gedacht. Da muß ich mich ja beinahe bei Ihnen entschuldigen.«

Beinahe? Johanna lächelt. Die Gewißheit, letzten Endes gesiegt zu haben, tut wohl. Drei auf einen Streich, drei gestandene Kripomänner haben gegen eine Anfängerin verloren, ein herrliches Gefühl.

»Dieser von Strack. Unglaublich. Natürlich ist damit im Mordfall Feldmann nichts wirklich bewiesen …. Zeugen für

so eine kriminelle Beziehung zwischen Lehrer und Schutz-
befohlener werden wir im nachhinein wohl nur schwerlich
auftreiben. So blöd war der von Strack offensichtlich ja
nicht. Schade. Also, der Wirt hat gesagt …«

Frank Görlitz hat bei seiner Vernehmung angegeben, das
Lokal um Viertel nach fünf abgesperrt zu haben. Gemeinsam mit seiner »Bekannten«. Die letzten Gäste waren drei
Frauen und ein Mann. Alle reichlich betrunken. Sie hätten
sich gemeinsam ein Taxi kommen lassen. Der Ermordete
sei schon eher verschwunden, wann genau, weiß er nicht. Er
habe gedacht, der Mann wäre nach Hause gegangen. In der
Küche war Görlitz leider nicht mehr. Die Reste des kalten
Büffets hätten sie schon gegen zwei Uhr abgeräumt und im
Kühlraum verstaut. Danach hätten sie die Küche nicht mehr
betreten, weshalb auch. Ja, wenn man gewußt hätte, aber
wer rechnet denn mit so was? Eines wäre ihm noch aufgefallen: Dieser Tote hätte zu fortgeschrittener Stunde versucht,
den Frauen an die Wäsche zu gehen, wie er es salopp
ausdrückte. Und eine war dabei, eine ausgesprochen Hübsche, eine richtige Dame, sie trug einen weißen Fummel,
irgendwas Langes, Fließendes, also die wäre beinahe auf den
losgegangen. Die war übrigens auch bis zum Schluß dabei.
Dann noch eine mit Jeans und einer schwarzen Bluse. Greta hieß die. Hat allen schöne Augen gemacht, zu Anfang
jedenfalls, später war sie ja voll wie 'ne ganze Kompanie. An
die dritte konnte er sich kaum erinnern. Er glaubt, sie war
ziemlich dick. Und dann der Typ. So ein blasser, unschein-
barer. Hieß Friedhelm oder so ähnlich. Auf die Frage, ob
sich eine der vier Personen am Ende auffällig verhalten
habe, schüttelte er den Kopf. Nein, die waren einfach nur
stinkbesoffen. Mehr kann man dazu nicht sagen. Verschwunden sind die alle mal. Zum Klo. Ist doch klar. Bier
regt ja bekanntlich die Nierentätigkeit an. Die Klotüren

liegen direkt neben der Küche. Ob einer mal besonders lange weg war, weiß er auch nicht mehr. Hundemüde sei er gewesen. Was Johanna wohl glaube, wie anstrengend es sei, jede Nacht mit solchen Typen rumzuhängen. Bis die endlich genug hätten und abdampften. Geschichten könnte er ihr erzählen, Geschichten …, aber daran hatte sie keinen Bedarf.

Geschichten kennt Johanna selber.

Vier Verdächtige. Die Namen sind inzwischen bekannt. Felicitas Bötticher, ihr Mann ist ein bekannter Anwalt, Margarete Wollien, Katja Starkowski und Diethelm Färber. Bei jedem Verhör steht die Chance eins zu drei, daß man den Täter vor sich hat. Der Färber hat eine Berliner Adresse angegeben. Seine Mutter allerdings wohnt hier, da fährt man am besten zuerst hin. Falls er doch inzwischen zurückgefahren ist, muß man später die Kollegen bemühen.

Heyne sprintet so flott die Treppen hoch, daß Johanna kaum Schritt halten kann.

Emmi Färber öffnet beim ersten Klingeln. Bei Johannas Anblick strafft sich ihre Gestalt. Die kleine Kommissarin … also geht es los, gut, daß sie seit Stunden darauf vorbereitet ist.

»Wir haben uns schon heute morgen kennengelernt. Frau Färber arbeitet auch im ›Grauen Esel‹. Als Reinigungskraft«, klärt Johanna die Fronten. »Dies ist Hauptkommissar Heyne, mein Chef.«

Schnell kommt man auf Diethelm zu sprechen.

Die kleine grauhaarige Frau, deren abgearbeitete Hände verschämt in die Kitteltasche kriechen, vielleicht auch nur, weil sie zu verräterisch zittern, kämpft um ihr Kind.

»Mein Sohn ist schon nach Berlin zurückgefahren. Er arbeitet dort als Diplompsychologe. In einer Anstalt … Sie wissen schon. Da ist das Personal immer knapp, nicht viele haben so viel Idealismus wie mein Junge. Manche Leute feiern wegen jeder Kleinigkeit krank, wenn mein Sohn auch so eingestellt wäre … Sicher wollen Sie sein Alibi überprüfen. Er war kurz vor Mitternacht zurück. Ich habe ferngesehen … Im Ersten lief der Kommissar, eine Wiederholung. Ich kann Ihnen den ganzen Inhalt erzählen. Damit Sie sehen, daß ich die Wahrheit sage. Diethelm hat mir gute Nacht gewünscht und ist gleich ins Bett. Getrunken hat er übrigens nicht. Das ist nicht seine Art. In seiner beruflichen Position könnte er sich das auch gar nicht erlauben.«

Tapfer gelogen. Ohne Punkt und ohne Komma. Beinahe könnte sie einem leid tun, wie sie dasteht, selbst am Sonntagabend in dunkler Kittelschütze, so als hätte man sie mitten im Hausputz unterbrochen, und dieser Gedanke erscheint nicht mal abwegig. Ihre Wohnung hat sie jedenfalls blitzeblank geputzt, aufgeräumt bis in die letzten Ecken und Winkel, hier herrscht genau die Art von steriler Sauberkeit, die eine Aura von eiskalter Ungemütlichkeit verbreitet. Kein Glas auf dem Tisch, nirgends eine angefangene Handarbeit, keine aufgeschlagene Zeitung, nicht einmal ein Knick im Sofakissen, der verraten könnte, wo sie eben noch gesessen hat. Hier wird gearbeitet und nicht gelebt. Dinge wie Behaglichkeit, Gemütlichkeit oder menschliche Wärme werden gnadenlos zur Tür hinausgekehrt, denen rückt Emmi Färber gründlich mit Staubsauger und Wischlappen zuleibe. Sie ist wohl eine von der Sorte, die sich selbst keine Ruhepause gönnen, die sich ununterbrochenen Fleiß abverlangen und sich ihr Leben lang selbst unter Druck setzen.

»Frau Färber«, seufzt Heyne. »Was Sie uns da erzählen, stimmt doch hinten und vorn nicht. Wir wissen längst, daß Ihr Sohn bis zum Schluß geblieben ist. Er kann unmöglich um Mitternacht hiergewesen sein …, er hat den ›Grauen

Esel‹ um fünf Uhr fünfzehn verlassen. Dafür gibt es genug Zeugen …«

»Er war vor zwölf hier, bestimmt!« beharrt sie pflichtschuldig, doch wenig überzeugend.

Johanna schließlich rettet die Situation. »Vielleicht sind Sie vor dem Fernseher eingeschlafen. Sie dachten, es wäre Mitternacht, dabei war es viel später … Sicherlich haben Sie gar nicht zur Uhr geschaut …«

Sie nimmt an. Emmi Färber, die spürt, daß ihr Wort keinen Glauben findet, keine Beweiskraft hat, liefert ihren geliebten Diethelm schluchzend aus. »Ja, vielleicht habe ich wirklich schon geschlafen …«

Zum ersten Mal hat sie als Mutter versagt. Das wird sie sich niemals verzeihen. Die Tür ist kaum ins Schloß gefallen, da stürzt sie zum Telefon.

Felicitas Bötticher. Eine vornehme Adresse. Dr. Holger Bötticher, Rechtsanwalt und Notar, hat die Praxis von seinem Vater übernommen, eine alteingesessene Praxis mit hervorragendem Ruf.

Das Haus ist eindeutig sein Haus. Klare Linien, viel Glas, eine sehr interessante Dachlösung, eigentlich zwei nebeneinanderliegende Spitzdächer. Lediglich zwei Farben hat Bötticher zugelassen, Weiß und Türkis, oder auch drei, wenn man die schiefergrauen Dachziegel mitzählt. Ansonsten schlichtweißer Kalksandstein, weiße Fensterrahmen, ein weißer Balkon, und als farbiger Akzent eine türkisgrüne Haustür, rechts und links daneben zwei gleichfarbige Fenster. Und eine überdimensionale türkisfarbene Hausnummer.

Heyne mag diese Art Architektur. »Schick, was?« fragt er auf dem Weg zur Tür. »Könnte mir auch gefallen.«

Darüber kann man geteilter Meinung sein. Für Johanna ist

146

das Haus ein typisches Männerhaus, viel zu büromäßig, eines, das man nicht ohne Lineal nachzeichnen könnte. Es riecht förmlich nach teurem Rasierwasser.

Ein Eindruck übrigens, der sich im Innern bestätigt. Weiße Bodenfliesen, viel Chrom und schwarzes Leder, eine Bücherwand, ein paar abstrakte Bilder in dunklen Farben, ein schwarzes Klavier mit einem antiken Drehhocker davor, mehr eigentlich nicht. Zur Zeit möbliert man eben sparsam. Statt Gardinen in allen Fenstern Lamellen, die das Sonnenlicht bändigen, in feine Scheibchen schneiden, die man nach Belieben vergrößern und verkleinern kann. In der Diele wird ein antiker Vitrinenschrank von versteckten Deckenstrahlern in Szene gesetzt. Hier sammelt jemand demonstrativ altes, wertvolles Porzellan, ohne es je zu benutzen.

Der Hausherr, der selbst die Tür geöffnet hat, zeigt sich wenig überrascht vom Besuch der Kripo. Natürlich ist er über den Mord längst informiert. So was spricht sich in seinen Kreisen rasch herum. Seiner Frau gehe es nicht besonders, der viele Alkohol gestern, das sei sie nicht gewohnt. Er werde sie selbstverständlich sofort rufen.

»Felicitas, kommst du bitte mal? Die Polizei ist hier!« hallt es betont munter durch das stille Haus. Das gute Gewissen in Person. In diesen hellen, lichtdurchfluteten Räumen läßt sich nichts verbergen.

Ganz unvermittelt steht sie mitten im Zimmer, niemand hat sie kommen hören, sie ist einfach da, Felicitas Bötticher, schön wie eine Madonna. Mittelblondes, leicht gewelltes Haar, schlicht in der Mitte gescheitelt, fällt ihr auf die Schultern. Was für ein Gesicht, diese unglaublich ebenmäßigen Züge, große mandelförmige Augen unter zwei dunklen Halbbögen, so exakt, als wären sie mit einem Zirkel gezogen, die Nase klassisch gerade, ein weicher, verletzlicher

Mund. Ergreifend schön, schießt es Johanna in den Kopf, schön und jung. Und er muß mindestens zwanzig Jahre älter sein. Zwischen den beiden herrscht eine seltsame Spannung. Holger Bötticher führt seine Frau vor, als wäre sie ein Ausstellungsstück. Besitzerstolz glänzt in seinen dunklen Augen, die aufmerksam Heynes Reaktion beobachten. Klar, nur Männerneid schmeichelt ihm; was Johanna über seine Frau denkt, ist für Dr. Bötticher ohne Belang.

»Ja, bitte?« Felicitas Bötticher lächelt schüchtern ein Klein-Mädchen-Lächeln und entwaffnet damit augenblicklich alle potentiellen Gegner.

Heyne streckt auch sofort die Waffen. Wortreich entschuldigt er seine unpassende Freizeitkleidung, was Johanna milde gesagt absolut lächerlich findet, doch damit nicht genug, seine gewöhnlich messerscharfen Fragen verwandeln sich im Angesicht von so viel Schönheit in sanfte Komplimente. Haben Sie vielleicht, können Sie sich erinnern, fällt Ihnen eventuell noch ein … Das Thema Alkohol wird dezent gemieden. Daß sie zuviel getrunken hatte, wissen wir ja schon. Kein Grund, sie damit unnötig in Verlegenheit zu bringen. Sie leugnet ja gar nicht, bis zum Ende geblieben zu sein. Von Strack war da schon gegangen. Nur noch Diethelm, Katja, Greta und diese Heilige. Wann der Ermordete verschwunden ist? Sie kann sich nicht erinnern. Hat sich jemand seltsam verhalten? Nein, nicht daß sie wüßte. Alle waren … angetrunken. Na gut, Görlitz sprach von stinkbesoffen, aber so ein Wort verbietet sich in diesem Haus, in diesem Leben, in diesem zartrosa getönten Mund. Nach einiger Zeit wird Johanna nervös. Zu brav, zu harmlos gebärdet sich ihr Chef, er benimmt sich wie ein unbedarfter Anfänger, legt der Bötticher die Antworten ja praktisch in den Mund. Höchste Zeit, ein bißchen Bewegung in das sanfte Wortgeplänkel zu bringen.

»An die Wand hat der Mörder mit rotem Lippenstift geschrieben: Rache für M. und alle davor. Können Sie sich vorstellen, was das bedeuten soll?«

Die Maske verrutscht für wenige Sekunden, Schrecken und Angst werden dahinter sichtbar. Doch Felicitas Bötticher ist auf der Hut, behebt den Schaden augenblicklich. Nein, darunter kann sie sich nichts vorstellen. Sie lächelt entschuldigend. Tut mir wirklich leid.

Immerhin erwacht Heyne aus seiner Faszination. Die Schöne ist auch nur ein Mensch wie alle anderen, eine Frau mit Fehlern und Schwächen, eine von vier Mordverdächtigen.

»Sexueller Mißbrauch«, knurrt er unwillig. »Mit M. ist diese Melanie Feldmann gemeint. Die Tote aus dem Stadtpark. Sie wissen schon, die Fünfzehnjährige. Und alle davor? Wir müssen davon ausgehen, daß Herr von Strack sexuelle Beziehungen zu Schülerinnen unterhielt. Auch zu Ihrer Schulzeit …«

»Sie meinen, eine der ehemaligen Mitschülerinnen meiner Frau hätte ihn deshalb erstochen? Weil sie durch den Tod der Schülerin an ihre eigene Geschichte erinnert wurde? Ein Mord aus Haß, aus Rache …, weiß der Teufel warum. Alkohol war sicher auch mit im Spiel. Denk bitte nach, Felicitas. Wer aus deiner alten Klasse hatte was mit dem?« schaltet der Ehemann sich ein. Wem will er damit eigentlich helfen, Heyne oder seiner aufgeschreckten Frau?

Eine bleiche Marmorstatue, kalt und leblos, doch von berückender Schönheit. Sie trägt ein hellblaues Korsagenkleid aus mattglänzender Wildseide, das ihre braunen Schultern unbedeckt läßt. Runde, glatte Schultern. Jedermann, besser jeder Mann, möchte den Arm darumlegen, sie wärmen, ihr Lebendigkeit einhauchen.

»Ist dir nicht wohl?« erkundigt ihr eigener Mann sich besorgt.

»Mein Magen … der viele Alkohol, Entschuldigung!« Sie holt tief Luft. »Tut mir leid. Davon weiß ich nichts. Irgendwie mag man gar nicht glauben, daß es so was wirklich gibt. Daß ein Mann sich an Kindern oder Halbwüchsigen vergreift. Ich kann dazu absolut nichts sagen …«

Ein wenig verlegen bittet Heyne um die Kleidung, die Frau Bötticher gestern nacht getragen hat, er schaut ihr dabei nicht in die Augen.

Dr. Holger Bötticher bringt das Gewünschte. Einen Berg weißer Seide. Crêpe de Chine. Seine Frau streift rasch ihre Schuhe ab. Weiße Riemchensandalen. Diese hatte ich gestern nacht an. Sie sind so bequem … meine Lieblingsschuhe.

»Vielen Dank. Nur eine Routinesache. Sie kennen das ja. Wir suchen nach Blutspuren. Auf Wiedersehen.«

Kaum ist die Polizei fort, zieht sie sich ins Schlafzimmer zurück. Die Übelkeit. Sie will nur ganz still daliegen. Gut, daß der Junge bei seinen Großeltern ist. Sein Geplapper könnte sie jetzt nicht ertragen.

Er klimpert gedankenverloren auf dem Klavier. *She's my baby*. Gestern nacht hatte sie selbstverständlich hohe goldene Pumps an. Doch nicht diese flachen Sandalen zu dem eleganten Kleid! Eine unmögliche Kombination. Wie kommt sie nur darauf?

Kurz bevor er zu Bett geht, wird er die Goldschuhe aus dem Schuhschrank holen und die Sohle mit einer groben Bürste und Seifenlauge bearbeiten. Wird schrubben und schrubben …

Und weiter auf der Liste.

Katja Starkowski bewohnt kein eigenes Haus, auch ist ihr Mann kein Doktor jur., Walter Starkowski verdient sein Geld als Kraftfahrzeugschlosser in einer kleinen Werkstatt.

Hier leben Walter, Katja, Daniela, Franziska und Florian, verrät ein getöpfertes Herz.

Zunächst erscheint ein Kind an der Tür, ein hübsches Mädchen, acht oder neun, vielleicht auch schon zehn, so was kann man schlecht schätzen.

Auf die Frage, ob ihre Mama daheim sei, trompetet sie laut: »Maaaamaaa, ist für dich!« und stürmt mit wehenden Haaren davon.

Mama. Der richtige Name für diese Frau. Herzlichkeit strahlt sie aus, Wärme, Mütterlichkeit, hinter diesem üppigen Busen muß ein schier unendlicher Vorrat an Liebe und Zärtlichkeit wohnen. Man denkt an Riesentöpfe, bis zum Rand gefüllt mit köstlichem Eintopf, an zimtduftende Weihnachtsplätzchen, an heißen Kakao, an Trostpflaster für aufgeschlagene Knie und blutige Nasen.

Drei Kinder. Alle blondgelockt und stupsnäsig, alle drei fröhlich und sehr aufgeweckt, aufgeregt plappern sie durcheinander. »Sind Sie wirklich von der Polizei? Echt?« Der Kleinste, ein quirliger Junge, in dessen hellblauen Augen der Schalk Purzelbäume schlägt, will unbedingt die Dienstmarken und die Pistole sehen. Unablässig hüpft er von einem Bein aufs andere. »Steh still Flori, oder mußt du schon wieder?« raunt ihm die älteste Schwester zu. Alle lachen. Schließlich ist es Walter Starkowski, der Vater, der mit sanfter Entschlossenheit die Kinder mit sich in die Küche nimmt. »Das ist gemein!« beschwert Florian sich empört.

Diesmal ist Johanna voreingenommen. Eine intakte Familie. Solch eine Mutter kann keine Mörderin sein, die benutzt ihr Messer zum Brotschneiden und Kartoffelschälen, nicht zum Männerabstechen und Kastrieren. Na gut, unter bestimmten Umständen, wenn es um das Wohl ihrer Kinder ginge, das wäre vorstellbar, aber davon kann hier ja nicht die Rede sein. Die Kleine an der Tür kann höchstens neun sein, immerhin hat Katja Starkowski erst vor zehn Jahren die Schule verlassen. Das Kind besucht demnach noch die Grundschule, eine mögliche Gefährdung durch von Strack kann es nicht geben.

Auch Katja Starkowski weiß schon Bescheid und ist schockiert. So was …, das muß dann ja wohl einer von uns gewesen sein. Sie war eine der letzten, ganz richtig. Aber das heißt nicht, daß ich den ermordet habe. Sie grinst spitzbübisch. Sie fühlt sich offenbar nicht ernsthaft verdächtigt.

Für M. und alle davor …

Katja Starkowski nickt. »Sicher. Darüber wurde damals getuschelt. Daß der von Strack sich für hübsche Mädchen interessiert. Was Genaues wußte keiner. Ich hab das immer für Spinnerei gehalten. Na, von mir wollte der nichts, so mein' ich das, und von meinen Freundinnen auch nicht. Das können Sie mir glauben. Warten Sie mal eben …«

Mit wenigen Schritten ist sie beim Wohnzimmerschrank und kramt aus der zweitobersten Schublade ein Fotoalbum hervor.

»Moment …« Sie blättert ein paarmal um, dann hält sie den beiden Kripobeamten triumphierend ein Foto entgegen. »So sah ich damals aus. Wie ein Junge, stimmt's?« Tatsächlich. Dieses überschlanke Mädchen mit den stoppelkurzen Haaren könnte genausogut ein junger Mann sein. Katja Starkowski kann man beim besten Willen nicht darin erkennen.

Sie genießt die verblüfften Gesichter. »Drei Kinder können ganz schön verändern, was? Ich hab' eben jedesmal so zugenommen, bei jeder Schwangerschaft. Und irgendwann gingen die Pfunde überhaupt nicht mehr runter. Meine

Mutter sieht genauso aus. Liegt bei uns in der Familie. Veranlagung …«

Sie holt bereitwillig ihre Kleidung. Ein graugepunktetes Kleid, Unmengen an Stoff. Dazu weiße Schuhe.

»Das Kleid ist noch nicht gewaschen. Ich mag es Ihnen gar nicht so mitgeben. Ich habe gestern ganz schön geschwitzt«, entschuldigt sie sich verlegen.

Unschuldig. Johanna bleibt dabei.

Der letzte Name auf der Liste. Margarete Wollien.

Eine armselige Wohnung, aber eine hübsche Frau, dunkles Haar, ein schmales Gesicht, vielleicht das Kinn ein wenig zu spitz, der Mund eine Spur zu groß. Die Augen beherrschen ihre Züge. Grüne Augen, eine seltene Farbe, dieses helle klare Grün, das ein geheimnisvolles Licht auszustrahlen scheint. Katzenaugen.

Greta hält sich gut. Sagt nur wenig, nickt, schüttelt den Kopf, zuckt mit den Achseln. Die Beamten verraten ihr ungewollt all das, was sie selbst nicht mehr weiß. Sie gehörte also zu den letzten, verdammter Mist, aber das war ja nicht anders zu erwarten. Greta hat noch nie rechtzeitig ein Ende finden können. Leidet von jeher an der Angst, etwas Wichtiges zu verpassen, irgendeine Chance, die nie mehr wiederkehren könnte. Zusammen mit Felicitas, Katja und diesem ätzenden Diethelm ist sie bis zum bitteren Ende geblieben. Verflucht noch mal.

Gab es Streit?

»Nööö, wir haben uns nur unterhalten, vielleicht manchmal etwas heftig, das macht der Alkohol«, vermutet Greta. So ähnlich wird es ja wohl gewesen sein. Vier Besoffene an einem Tisch, da geht es immer lautstark her.

Für M. und alle davor.

Greta stellt sich unwissend. »Was???? Der soll was mit Schülerinnen gemacht haben? Davon weiß ich nichts. Mit mir jedenfalls nicht.«

Peng. Das soll erst mal einer widerlegen. Gretas Vergangenheit ruht nämlich in Frieden, wird seit zehn Jahren regelmäßig mit hochprozentigem Alkohl betäubt und desinfiziert.

Damals, als es noch geholfen hätte, da hat kein Mensch gefragt, was der von Strack wohl mit Margarete Wollien anstellt. Warum sie wieder und wieder ins Konrektorzimmer gerufen wurde. Die hat bestimmt was angestellt, geklaut oder so …, von so einer durfte man ruhig das Schlimmste annehmen.

Für ein Kind, dessen Vater nicht arbeiten kann, weil er von morgens bis abends damit zu tun hat, seinen Alkoholpegel im Blut aufrechtzuerhalten, dessen Mutter sich gern außer Haus amüsiert, die weder regelmäßig Essen kocht noch Wäsche wäscht, für ein Kind, dessen jüngere Geschwister das Jugendamt fortholt, eines nach dem anderen, immer gleich wenige Wochen nach der Geburt, damit wenigstens sie in intakten Familien aufwachsen können, nur Greta selbst war schon zu groß, die wollte niemand mehr, da hieß die Alternative städtisches Kinderheim, für so ein Kind interessiert sich kein Mensch. Und jetzt, zehn Jahre später, braucht sich auch keiner mehr dafür zu interessieren. Das kleine Mädchen gibt es längst nicht mehr.

Bereitwillig rückt Greta die Kleidung heraus. Die Bluse hängt draußen auf der Leine, die Jeans auch. Hat ja alles so gestunken, nach Rauch und Schweiß, diese Hitze macht einen ja völlig fertig, das ist man ja gar nicht mehr gewohnt. Ich arbeite die Woche über, da kann ich nur am Wochenende waschen, erklärt sie treuherzig. Die Schuhe lugen frischgeputzt unter der Couch hervor. Egal, was vorher war, jetzt sind sie unschuldig rein.

Als man geht, lächelt Greta betont freundlich hinterher. Auf Wiedersehen.

Wer war es nun? Wollen wir einen Hauptverdächtigen auslosen? Möglich, daß die Spurensicherung Blut findet, auf den ersten Blick ist an den eingesammelten Sachen nichts festzustellen.

Das Fax der Berliner Kripo ist auch keine große Hilfe. Diethelm Färber, sechsundzwanzig. Arbeitet als ungelernte Hilfskraft in der Psychiatrie. Scheint selbst nicht ganz schußecht zu sein. Die Kollegen tippen auf Alkohol oder Medikamente. Drogen wohl nicht, jedenfalls weisen seine Arme keine Einstiche auf.

Er streitet gar nicht ab, bis zum Ende geblieben zu sein. Ja, seine Mutter hätte ihm ein falsches Alibi aufgedrängt, aber damit habe er nichts zu tun. (Emmi Färber hat ihn gleich, nachdem die Kripo fort war, angerufen und unter Tränen ihr Versagen gebeichtet. Also blieb ihm nur die Flucht nach vorn.) Seine Sachen hat er auch sofort zur Verfügung gestellt, sie werden bereits im Labor untersucht. Diethelm Färber kennt die Gerüchte, daß von Strack was mit Schülerinnen gehabt haben soll. Konkrete Fälle sind ihm allerdings nicht bekannt. Wenn der Tote Beziehungen zu einer der drei zuletzt anwesenden Frauen gehabt haben sollte, so weiß Färber jedenfalls nichts davon.

Vier Unschuldige und eine Leiche, eine mit Lippenstift geschriebene Rechtfertigung, ein abgetrenntes Geschlechtsteil. Selbstjustiz.

»Im Grunde scheidet der Färber aus. Weil er ein Mann ist. Einen roten Lippenstift trägt der wohl kaum mit sich rum«, sinniert Hauptkommissar Heyne.

»Weiß man's?« lästert Johanna. Doch Heyne steht der Sinn nicht nach Witzen. Er ist müde von der langen Autofahrt, sein Magen knurrt, der Schweiß läuft ihm aus allen Poren, er sehnt sich nach einer eiskalten Dusche und einem ebenso kaltem Bier. Und vor allem kann er keinen zweiten ungeklärten Mordfall gebrauchen.

»Eine seltsame Familiengeschichte. Seine Mutter behauptet, daß er Diplompsychologe sei. Wahrscheinlich weiß sie es wirklich nicht besser. Und er jobbt nur so rum. Muß ein ziemlich kaputter Typ sein.«

»Kein Wunder bei der Mutter. Wer wollte die schon den ganzen Tag um sich haben? Die hat ihn doch garantiert mit ihrer pingeligen Ordnung halb wahnsinnig gemacht. Und gleichzeitig erwartet, daß was ganz Großes aus ihm wird. So einer kann eigentlich nur scheitern …. Trotzdem kommt er meiner Meinung nach nicht in Frage. Sieht doch alles danach aus, daß eines seiner ehemaligen Opfer sich gerächt hat. Und daß einer sich gleichzeitig für Jungs und Mädchen interessiert, ist wohl nicht sehr wahrscheinlich. Oder glauben Sie das?«

Wer weiß. Heyne hat gelernt, alles für möglich zu halten. Oder auch nichts.

Für heute weiß man genug, morgen braucht man zuerst die Berichte von Gerichtsmedizin und Labor, dann sieht man hoffentlich klarer.

Bis dann. Heyne lächelt sogar. Und quetscht sich mit großer Anstrengung ein »Gut gemacht« heraus.

Ärgerlich schaut Christine Peschel auf ihre goldene Armbanduhr. Warum kommt der Junge so spät? Man hätte doch wenigstens gemeinsam zu Abend essen können, ist das etwa zuviel verlangt? Gegen zweiundzwanzig Uhr schlägt der Ärger in Angst um. Ein Anruf bei Tobias' Eltern bestätigt ihre Befürchtungen. Es gab gar keine Verabredung, kein gemeinsames Wochenende im Wohnwagen, nichts dergleichen, Tobias liegt seit Donnerstag mit einer eitrigen Mandelentzündung im Bett und schläft längst. Einer unerklärlichen Ahnung folgend, durchsucht sie Roberts Zimmer. Hektisch reißt sie alle Schränke, alle Schubladen auf. Der Brief liegt unter der Bettdecke.

Liebe Mama, sei nicht böse, aber ich halte es nicht mehr aus. In einem Land, in dem man so einfach als Mörder abgestempelt werden kann, will ich nicht länger leben. Alle rücken von mir ab, auch in der Schule. Ich habe plötzlich keine Freunde mehr. Jeden Mittag verfolgt Melanies Mutter mich vom Schultor bis nach Hause. So kann ich nicht weiterleben. Du weißt, daß ich kein Mörder bin, oder glaubst Du auch nicht an mich? Keine Ahnung, wir haben nie darüber gesprochen. Wir reden ja nie miteinander. Bin unterwegs Richtung Frankreich. Hoffe, mein Schulfranzösisch reicht aus. Ich habe mir 500.– DM genommen. Werde es Dir später zurückzahlen. Robert.

Beinahe hätte sie aufgelacht. Sein Schulfranzösisch, diese mühsam erkämpfte Vier, soll reichen? Und fünfhundert Mark sind in Frankreich auch schnell ausgegeben. Wieso überhaupt Frankreich? Ach ja. Die Ferienwohnung fällt ihr ein. Natürlich.

Die Ferienwohnung. Christine Peschel raucht eine Zigarette. Ihre Hände zittern. Tränen laufen über ihr Gesicht, sie wischt sie nicht fort. Will sie sich selbst beweisen, daß sie doch eine gute Mutter ist? Weil sie wenigstens noch aus Angst weinen kann?

Später ruft sie in Frankreich an. Madame Chennier, die einmal pro Woche in ihrer Ferienwohnung nach dem Rechten sieht, möchte bitte Bescheid geben, sobald Robert auftaucht.

Christine Peschel weint sich in den Schlaf. Als Mutter hat sie versagt, komplett versagt. Wir reden ja nie miteinander.

Montag

Die Zeitung schreit es in blutroten Großlettern heraus: nach zehn Tagen der zweite Mord. Hat Studienrat von Strack seine Schülerin mißbraucht und ermordet?

Die Sensation macht ihre Runde über alle Frühstückstische. Genüßlich läßt man jedes Wort einzeln auf der Zunge zergehen, dazu schmeckt der Morgenkaffee doppelt so gut. Erstochen und entmannt, Donnerwetter, wie schade, daß die Zeitung kein Foto bringt. Das hätte man ganz gern mit eigenen Augen gesehen. Von Strack also. Wenn man es genau überlegt, waren seit Jahren Gerüchte über den in Umlauf. Eigentlich schon immer. Daß die Polizei da nicht eher drauf gekommen ist …

Eine überaus wütende Lydia von Strack zerknüllt die Zeitung und pfeffert sie unbeherrscht gegen die Wand. Am liebsten würde sie noch sämtliche Tassen und Teller hinterherschmeißen. Sie fühlt sich gedemütigt, vor aller Augen ausgezogen bis aufs letzte Hemd.

Ihr Haus ist abgebildet, *ihr* Name steht dort schwarz auf weiß, für jeden zu lesen, fehlt nur noch die Telefonnummer, doch die kann man ja problemlos herausfinden.

Und dann das, was schmierig zwischen den Zeilen grinst. Ein Lehrer, der kleine Mädchen verführt. Ein Lehrer, der eine Schülerin erst schwängert und dann erwürgt. Und wie viele hatte er davor? Eine ja wohl auf jeden Fall, nämlich die Täterin, diejenige, die ihn hingerichtet hat. Denn daran, daß es eine Frau war, eine ehemalige Schülerin, besteht ja wohl kein Zweifel.

Kinderschänder. Lydia von Strack ist die Witwe eines Abartigen.

So ist's recht. Sogar ihrem Witwendasein hat er noch alle Würde genommen, ihr ist kein Frieden vergönnt. Hilmar von Strack, dieser gut getarnte Päderast, beschmutzt sie über seinen Tod hinaus mit seiner widerlichen Leidenschaft. Wie hat sie gestern morgen noch gejubelt, innerlich, als sie ihn so jämmerlich hat liegen sehen. Endlich, endlich hätte sie am liebsten laut gerufen. Das ist noch viel zuwenig für die zwanzig Jahre Leid, die du mir angetan hast. Daran, daß damit alles publik wird, daß es keine Geheimnisse mehr geben wird, daß jedermann demnächst die Geschichte ihrer unglückseligen Ehe in der Zeitung nachlesen kann, jeder, alle Kollegen ihres Mannes, alle Nachbarn, ihre Friseuse, sogar ihre Putzfrau, daran hat sie in ihrer Freude nicht gedacht. Zwanzig Jahre lang hat sie alles verborgen, hat krampfhaft ihr Wissen bei sich behalten, hat gelitten, ist beinahe daran zugrunde gegangen. Umsonst. All die Jahre vergeudet. Das, was niemand erfahren sollte, steht heute morgen groß in der Zeitung.

Hätte es geholfen, der Kripo den Brief auszuhändigen, der seit siebzehn Jahren in ihrer Nachttischschublade ruht, und der auch ein Geheimnis bewahrt, ein anderes allerdings, ein sehr trauriges, eines, das auf andere Art und Weise ihr Leben verdorben hat? Wohl kaum, und jetzt ist es auch zu spät. Nun muß alles weiter seinen Gang gehen.

Christine Peschel traut kaum ihren rotgeränderten Augen. Von Strack hat die Melanie also auf dem Gewissen. Und Robert, dieser Dummkopf, ist davongelaufen. Zwei Tage zu früh. Hätte er nur ein wenig mehr Geduld gehabt. In der

Wohnung ist er immer noch nicht angekommen, gegen sieben Uhr hat sie schon bei Madame Chennier angerufen. Keine Spur von Robert.

Hauptkommissar Heyne erscheint wieder wie gewohnt in seiner Aufmachung als biederer Versicherungsvertreter mit Schlips und Kragen und frischgeputzten Schuhen. Die Farben heute sind Grau und Hellblau. Wie einfallsreich.

Auch Roland Bierwirth sitzt an seinem Platz. Krank schaut er aus, sehr krank sogar, gerade so, als könne er sich nur mit Mühe aufrecht halten. Die fahl gelbstichige Farbe seiner Haut läßt das blonde Haar grünlich erscheinen, seine ansonsten so warmen braunen Augen haben allen Glanz verloren, matt und teilnahmslos betrachten sie die Geschehnisse. Bierwirth gehört ins Bett, ganz bestimmt, er sollte sich lieber noch ein paar Tage auskurieren, das sieht wohl jeder. Und dennoch besteht er trotzig darauf, sich topfit zu fühlen. Es muß der neue Mord sein, der ihn bei der Stange hält.

Bedauerlicherweise hat die Gerichtsmedizin noch nichts geliefert, das Labor übrigens auch nicht. Man benötigt dringend die Herkunft des Lippenstiftes.

Leerlauf, der wie gewohnt mit Kaffee überbrückt wird. Roland Bierwirth lehnt ab, seine Gesichtsfarbe wechselt beim Geruch des starken Kaffees ins Gräuliche. Frau Samcke merkt nichts davon, sie lächelt wieder zärtlich in eine bestimmte Richtung. Sie scheint auf Versicherungsvertreter in Grau und Hellblau zu stehen, dabei flaggt sie selbst heute ein knalliges Gelb, so als hätte sie beschlossen, mit der Sonne zu konkurrieren.

Man setzt Roland ausführlich ins Bild. Die Schrift auf den Kacheln. *Rache für M. und alle davor.*

Gänzlich unerwartet schießt sein Magen einen Salto vorwärts. Scheiße. Also doch sexueller Mißbrauch. Doch dieser von Strack. Johanna im Glück. Da hat sie mit ihrer konfusen Story voll ins Schwarze getroffen. Damit konnte nun wirklich niemand rechnen. Das gibt natürlich jede Menge Punkte, die Hierachie der letzten beiden Wochen könnte gefährlich ins Wanken geraten.

»Wir könnten doch noch mal zu Feldmanns fahren und dort Melanies Schulsachen durchsehen. Vielleicht findet sich ein Hinweis auf den von Strack. Irgend etwas, das wir übersehen haben«, schlägt sie sehr selbstbewußt vor, mit einem ganz neuen Unterton in der Stimme. »Immerhin wissen wir jetzt, wonach wir suchen …«

Und dann auch noch Heyne: »Gute Idee. Edgar und Roland klappern am besten noch einmal die Ehemaligen ab. Die ganze Liste. Ihr könnt getrennt gehen, dann seid ihr schneller durch. Es muß doch was über diesen von Strack geben, Halbwahrheiten, Gerüchte …, irgendwas.«

Im Treppenhaus fragt der Hauptkommissar beiläufig, was sie an dem von Strack eigentlich so verdächtig gefunden hätte.

»Tja, das kann ich nicht so einfach erklären. Die Vorgeschichte der Kleinen hat mich wohl darauf gebracht, diese absolute Übereinstimmung aller Zeugenaussagen. Danach konnte sie eigentlich gar nicht schwanger sein. Sie war sehr kindlich. Sehr behütet und sehr brav, schüchtern. Robert Peschel hat mal gesagt, die hat keinen an sich rangelassen. Da hat es bei mir geklingelt. Über sexuellen Mißbrauch habe ich ziemlich viel gelesen. Gewöhnlich stammen die Täter aus dem engsten Umfeld des Opfers. Also Väter, Stiefväter, der Freund der Mutter, große Brüder, gute Nachbarn und manchmal eben auch Lehrer. Feldmann schied aus, daß einer seine eigene Tochter erwürgt, konnte ich mir wirklich nicht vorstellen.«

»Wußten Sie nicht, daß er nur ihr Stiefvater ist? Steht irgend-

wo in der Akte. Er hat sie adoptiert. Ich meine, die Feldmanns sind erst ein paar Jahre verheiratet.«

»Wenn ich das gewußt hätte, wäre er auch auf meine Liste
gekommen, ganz oben sogar. Da hat er Glück gehabt. Nein,
mal ganz im Ernst. Dieser von Strack war mir auf Anhieb
unsympathisch, ich fand ihn … na ja schleimig, klebrig, ich
weiß auch nicht genau. Lachen Sie mich nicht aus, aber er
hatte so was im Blick. Im übrigen war er der einzige Lehrer,
der uns darin bestärkt hat, daß Robert Peschel der Vater des
Kindes sein könnte. Alle anderen haben den Jungen in
Schutz genommen. Er nicht.«

»Weibliche Intuition also.« Heyne grinste gutgelaunt. »Daß
Sie mit solchen unlauteren Methoden arbeiten, davon hat
Ihr alter Chef mir allerdings nichts gesagt.«

Greta Wollien steht am Fließband. Steckt winzige bunte
Transistoren auf grüne Platinen. Immer die gleichen Ver-
bindungen. Das Muster erinnert entfernt an ein Hochhaus.
Unten zwei Fenster, in der Mitte eines, darüber noch eines,
oben drei. Das Haus liegt auf der Seite. Die Finger mit den
rotlackierten Nägeln bauen das Hochhaus ganz von allein,
jeder Handgriff läuft automatisch ab, mit den Jahren hat sie
Straßen, Städte, vielleicht sogar ganze Länder aus bunten
Häuschen zusammengesteckt, jede Bewegung ist längst
Routine geworden, zu überlegen braucht sie nicht. Mitunter
stellt sie sich vor, wie ihr Leben verlaufen wäre, wenn das
Schicksal großzügiger gewesen wäre, ihr andere Eltern spen-
diert hätte. Meistens beschäftigt sie sich jedoch mit belang-
losen Dingen: welche Klamotten sie demnächst kaufen
möchte, welcher Film gerade im Kino läuft, wie lange das
Waschpulver noch reicht. Heute denkt sie an den Toten. An
die Folterjahre ihrer Schulzeit. An die unheimliche Gedächtnislücke, die alles mögliche enthalten könnte, sogar

einen Mord. Um fünf Uhr muß sie aufs Präsidium. Was, wenn die Kripo Blut auf ihrer Bluse nachgewiesen hat? Gibt es im Gefängnis auch solche Fließbänder?

Felicitas Bötticher fühlt sich, als wäre sie aus einem langen Schlaf erwacht. Sie trägt heute verwaschene Jeans und ein schlichtes, schwarzes Shirt. Keine Verkleidungen mehr. Jetzt, wo der Knoten gelöst ist, kann sie endlich das ganze Paket auspacken. Eine schwere Arbeit. Und der Inhalt ist alles andere als schmeichelhaft. Lauter ungelöste Fragen. Wieso konnte sie so einfach vergessen, was von Strack ihr angetan hat? Was ist bloß mit ihr geschehen? Weshalb hat sie Holger so bereitwillig ihr Selbst überlassen? Was ist aus jener Felicitas Schuhmann geworden, aus dem Schulmädchen, das so große Zukunftspläne hatte, das davon träumte, als Stewardeß durch die Welt zu fliegen? Wo ist dieses Mädchen geblieben? Hat man sie unter einem unendlich hohen Berg aus Bargeld und reiner Seide erstickt? Und wer ist diese Felicitas Bötticher, diese Halbtote, diese willenlose Schaufensterpuppe, die sich von ihrem Ehemann ganz nach Wunsch an- und auskleiden läßt? Die sich widerstandslos in sein Leben einfügt, all die Lücken ausfüllt, die er ihr zuweist. Ich nicht!!! möchte sie schreien. Ich bin das ganz und gar nicht! *So* wollte ich doch nie im Leben werden! Und sie schämt sich, schämt sich, daß sie die Felicitas von einst so schmählich im Stich gelassen hat. Dieses Mädchen, deren Träume bis beinahe in den Himmel wuchsen. Was hat Frau Bötticher nur daraus gemacht!

Mehr als zwei Stunden weint Felicitas Bötticher, laut und heftig, die Tränen laufen nicht, sie sprudeln hervor, als würde ihr Kopf unter einem wahnsinnigen Druck stehen. So inbrünstig hat sie seit Jahren kein Gefühl mehr ausgekostet, so intensiv hat sie sich lange nicht mehr gespürt. Sie gibt sich hin, ertrinkt beinahe in ihrer eigenen Tränensintflut. Bis endlich der Strom versiegt, bis sie sich restlos ausgeweint hat.

Zum ersten Mal muß Vera Feldmann einen Tag allein verbringen, ihr Mann arbeitet wieder, man zimmert sich notdürftig eine neue Normalität zurecht. Zum Frühstück hat ihr die Tageszeitung Melanies Mörder serviert. Von Strack, Mellis Mathelehrer, der war es also. Doch von Strack ist inzwischen tot, andere waren schneller. Dieters Worte gehen ihr nicht aus dem Kopf. Na bitte. Siehst du, Vera, endlich hat alles ein Ende. Diese quälende Ungewißheit. Das ist jetzt der Schlußpunkt, verstehst du. Jetzt müssen wir lernen, ohne sie zu leben. Wir beide, du und ich. Es wird schwer sein, aber wir schaffen das.

Was für kindische Worte, sie könnten aus einem schlechten Roman stammen, wir beide – du und ich, wir schaffen das schon. Du und ich, wir beide. Für immer allein mit Dieter. Mit diesem gefühlsneutralen Geradeausdenker, der wieder mal nicht merkt, was vor sich geht. Sein Anfang bedeutet nichts anderes als ihr Ende. Vera Feldmann fühlt sich leer und ausgebrannt, erschöpft, als wäre sie hundert Jahre alt, als hätte sie einen unendlich weiten Weg zurückgelegt. Im Schrank steht noch eine Flasche Rum. Von Dieters letztem Geburtstag. Sie gießt sich die Kaffeetasse bis zum Rand voll. Zum Wohl, Vera. Der scharfe Geschmack treibt ihr die Tränen in die Augen. Sofort schenkt sie nach, ist doch sowieso alles egal.

Keine Aussicht mehr auf Rache, auf eine herrlich blutige, befreiende Rache. Keine wiederbelebenden Besuche in Frau Peschels Laden, keine Verfolgungsjagden vom Schultor bis zu Peschels Wohnungstür. Plötzlich existiert kein lebendiges Ziel mehr für ihren Haß. Und wohin jetzt damit?

Das soll schon alles gewesen sein? Der von Strack war der Vater des Kindes und Mellis Mörder? Bitte schön, Frau Feldmann, hier haben Sie die Wahrheit. Hängen Sie den Artikel über Ihr Bett oder fressen Sie ihn auf. Werden Sie selig damit. Und vergessen Sie nicht, die Blumen auf Mellis Grab zu gießen. … ach ja, und dann nehmen Sie am besten Ihr gewohntes Leben wieder auf, so als wäre nichts passiert. Da kann ich mich genausogut aufhängen, klagt sie dem Rum ihr Leid. Wenigstens diese Flasche auf dem Küchentisch, den sie noch immer nicht abgeräumt hat, auf dem der Aufschnitt gerade unansehnlich zwischen Brotkrümeln und Eierschalen vertrocknet, teilt ihre Meinung oder ihr Elend oder was auch immer.

Irgendwann an diesem Morgen klingelt die Kriminalpolizei an der Tür.

»Nanu«, sie lächelt ihnen dümmlich entgegen, »was wollen Sie denn noch? Hab' alles in der Zeitung gelesen.«

Man will Melanies Schulsachen durchsuchen, ob sich darin ein Hinweis auf den toten von Strack findet. Bitte, suchen Sie ruhig. Ein freundliches Lallen, ehe sie in die Küche zurückwankt. Beide Hände braucht sie, um sich an der Wand entlangzutasten.

Melanies Zimmer scheint niemand mehr zu betreten. Das Fenster bleibt trotz der sommerlichen Hitze geschlossen, die Gardinen sind zugezogen, die Gegenwart wird durch rosafarbene Baumwolle gefiltert. Die Luft steht still und stirbt langsam an Sauerstoffmangel. Auf den Möbeln ist eine hauchdünne Haut aus feinstem Staub gewachsen. Man ahnt bereits, wie es hier in einem halben Jahr aussehen wird, doch solche Probleme kann die Kripo nicht lösen, dafür sind andere zuständig. Es fragt sich nur wer.

Statt die Gardinen aufzuziehen und das Tageslicht einzulassen, knipst Johanna das Deckenlicht an. Sie spürt, daß es ihr nicht zusteht, hier etwas zu verändern. Selbst Stefan Heyne fügt sich wortlos in Vera Feldmanns Ordnung ein.

Melanies Hefte sind ordentlich geführt, die Bücher sehr sauber, ohne Flecken, ohne Eselsohren, sie enthalten kein persönliches Wort. Das Matheheft, das Heyne besonders gründlich liest, weist keinerlei verdächtige Momente auf. Von Strack hat alle Fehler angestrichen, hat Bemerkungen wie: Gib dir mehr Mühe! oder auch: Mehr üben! darunter gekritzelt. Nach dem aggressiven Schwung der Buchstaben zu urteilen, war er dabei ziemlich schlecht gelaunt. Merkwürdig.

Johanna blättert in einem Ringbuch. Kladde nannte man das zu ihren Schulzeiten. Wenigstens darin hat Melanie ein kleines Stückchen von sich selbst hinterlassen. Auf dem lila Kunstleder kleben kleine Glitzerbildchen, Sticker, hauptsächlich Pferde und Katzen in kitschigen Farben. Mit Kugelschreiber hat sie in geschwungener Schönschrift einige Namen verewigt. *Queen, U 2, Dieter Bohlen, Marius.* Das war also ihre Musik. Ein bißchen was von allem. Irgendwo drinnen versteckt sich ein winziges rotes Herz mit einem noch winzigeren R.P. in der Mitte – Robert Peschel. Ein paar Seiten weiter hinten eine typische Schülerzeichnung. Ein grinsender Hintern mit abstehenden Elefantenohren. Und darunter steht deutlich: von Strack. Kann das ein Hinweis sein? Ein paarmal hat sie noch gekritzelt: *I love Marius.* Viel läßt sich damit nicht anfangen. Gerade mal, daß man das Mädchen Melanie Feldmann ein bißchen besser kennenlernt.

Auf der Rückseite klebt ein Stundenplan. Feinsäuberlich mit ihrer Kinderschrift geschrieben. Seltsam. Den Donnerstag hat sie schwarz angemalt, darüber rinnen Tränen aus einem geschlossenen Auge. War der Donnerstag ihr Trauertag?

»Ich hab' vielleicht was gefunden.«

166

Am Donnerstag hatte sie Mathe bei von Strack. Eine Doppelstunde.

Der zarte Hauch eines Beweises. Und dennoch, die Mathehefte selbst sind nicht manipuliert. Folglich hat er nicht in Noten gezahlt. Womit sonst? Wie hat er sie sonst gezwungen?

Ein Gespräch mit der Mutter erweist sich rasch als überflüssig. Frau Feldmann ist zu betrunken, um klar zu denken. Als man ihr den weinenden Donnerstag zeigt, bricht sie in Tränen aus. »Sie hat es geahnt, hat es geahnt«, jammert sie, »daß sie an einem Donnerstag sterben muß …« Melanie ist an einem Montag gestorben. Frau Feldmann ist heute nicht verhandlungsfähig.

»Legen Sie sich doch einen Moment hin, ich glaube, es geht Ihnen nicht so gut«, schlägt Johanna vor, und die andere gehorcht wie ein braves Kind. Gut möglich, daß die Kommissarin ihr unwissentlich damit das Leben rettet. Hätte sie noch weitergetrunken, vielleicht hätte sie irgendeine nicht wiedergutzumachende Dummheit begangen. So schläft sie rasch ein, Seite an Seite mit ihrer Verzweiflung.

Vom Wagen aus ruft der Hauptkommissar rasch im Büro an, leider immer noch keine Berichte aus der Gerichtsmedizin oder dem Labor.

Es ist kurz vor zehn, die Sonne strengt sich wieder mächtig an, beinahe dreißig Grad im Schatten. Johannas Trägerhemdchen aus reiner Baumwolle klebt am Körper. Es gibt keine passende Kleidung für solches Wetter. Auch Heynes hellblaues Oberhemd weist feuchte Flecken unter den Achseln und am Rücken auf. Für einen Moment beneidet Johanna die, die den Sommer genießen können, die jetzt faul im Garten liegen oder im Schwimmbad planschen. Die ihre Zeit nicht in überheizten Autos oder stickigen Totenzimmern verbringen müssen. Der Moment währt nicht lange. Selbst wenn man ihr jetzt Urlaub anbieten würde, sie würde ablehnen. Dieser Mörder muß gefaßt werden. Alles andere ist zweitrangig.

Mit Melanies Stundenplan geht es in die Schule. Jeden Donnerstag in der dritten und vierten Stunde Mathematik. Und in der Pause danach? Oder davor?

Zuallererst wird dieser Rektor, Dr. Hermann Prock, in die Mangel genommen. Sein winziges Büro schaut aus wie eine umfunktionierte Abstellkammer, zwischen den Aktenschränken und seinem wuchtigen Schreibtisch kann man sich kaum bewegen. Spärliches Licht fällt durch ein Nordfenster. Keine Sonne also, nie. Nicht einmal an diesem strahlenden Hochsommertag. Ein dunkles Loch jenseits aller Jahreszeiten. Dazu die traurige Aussicht. Draußen nichts als grauer Beton. Der große Fahrradschuppen, der gepflasterte Weg. Kein Baum, kein Strauch, an dessen Blattwerk man ablesen könnte, ob draußen gerade Frühling oder Sommer herrscht.

Der kleine dicke Dr. Prock duckt sich hinter seinem Schreibtisch wie hinter einer Festungsmauer, den Kopf hat er zwischen die Schultern gezogen, als erwarte er Schläge, seine Augen funkeln mißtrauisch, fast böse. Er hockt da wie eine Kröte in einer Erdhöhle, gefaßt auf einen plötzlichen Angriff, der auch prompt erfolgt.

»Erzählen Sie mir bloß nicht, daß Sie nie irgendwas darüber gehört haben«, donnert Heyne sogleich ohne Vorwarnung los.

Sein Gegenüber wischt sich erschrocken mit einem Taschentuch übers Gesicht. Schweiß, Tränen, wer weiß was da tropft.

»Ja …, ich meine nein, man erzählt ja so viel Schlechtes über die Lehrer, gerade solche Geschichten. Das kann man doch gar nicht alles für bare Münze nehmen«, fleht er um Verständnis für seine schwierige Lage. Als Rektor. Man ist doch nicht nur für die Schüler verantwortlich, sondern auch für die Kollegen. Die Kinder wechseln alle paar Jahre, die Lehrer nicht. Wie soll er das der Polizei begreiflich machen. Im nachhinein war es ein Fehler, gewiß doch, aber wer ahnt denn so was.

Doch die Polizei kann man nicht so leicht besänftigen.

»Was wußten Sie über von Strack?« bohrt der unerbittliche Hauptkommissar weiter. Prock windet sich unbehaglich auf seinem Ledersessel, flüchtet sich in unsinnige Geschäftigkeit, sortiert mit fahrigen Bewegungen seine Aktenstapel um.

»Na ja, es hieß vor Jahren, er hätte eine Vorliebe für hübsche Schülerinnen. Nichts Ernstes. Ich schwöre bei Gott, daß in diesem Zimmer nie Eltern oder Schülerinnen gestanden haben, die Herrn von Strack angeklagt haben. Kein Mensch hat ihn jemals offiziell beschuldigt. Niemals. Sollte ich einen Kollegen, einen angesehenen Mann, aufgrund von Gerüchten ins Verderben schicken?« verteidigt er sich mit schriller Stimme.

»Jetzt jedenfalls haben ihn andere dafür ins Verderben geschickt. Finden Sie das besser?« rutscht es Johanna raus, und Prock sackt in seinem Stuhl zusammen, als wäre sämtliche Lebensluft auf einen Schlag aus ihm entwichen.

»Namen brauchen wir, konkrete Namen!« Heyne haut doch tatsächlich mit der Faust auf den Schreibtisch, so heftig, daß die Schreibtischlampe klirrt. Schwer zu sagen, wer mehr erschrickt, Johanna, die ihren Chef noch nie so unbeherrscht erlebt hat, oder der arme kleine Rektor.

»Es gibt keine Namen, das sagte ich doch schon«, stammelt Hermann Prock unter Tränen. So etwas hätte ich in meiner Schule nie geduldet, würde er gern hinzufügen, unterläßt es aber, weil er spürt, daß er soeben seine Glaubwürdigkeit verloren hat. Sechs Monate vor der Pensionierung. Seine Schule, sein Lebenswerk, leere Worte, zerbrochene Hülsen, damit ist es vorbei.

Dieser letzte Schock, der Mord an von Strack ist Silvia Vehn-Becker überdeutlich ins Gesicht geschrieben. Schlecht sieht sie aus, regelrecht krank. In dieser Zeit, in der alle Welt tiefe Sonnenbräune zur Schau stellt, fällt sie mit ihrer ungesunden Blässe aus dem Rahmen. Auch sie könnte man getrost als Opfer der Ereignisse bezeichnen. Eine junge Lehrerin, der man den Glauben an sich selbst, an ihre Menschenkenntnis, und gleichzeitig das Vertrauen in die Institution Schule geraubt hat.

»Davon habe ich noch nie ein Wort gehört. Darauf können Sie sich verlassen.« Und es ist offensichtlich, daß sie die Wahrheit sagt. »Wenn ich geahnt hätte, daß das so einer ist, nie im Leben wäre ich mit dem zusammen auf Klassenfahrt gefahren. Wenn ich mir vorstelle, daß es da passiert sein könnte …, daß ich ihm gewissermaßen noch dabei geholfen habe, seine Gelüste zu befriedigen. Es ist einfach schrecklich!« Ein paar Tränen kullern langsam über die bleichen Wangen. »Ich werde mich umhören, ganz bestimmt. Und sobald ich irgendwas rausbekomme, melde ich mich, das schwöre ich Ihnen. Wer weiß, wie viele andere Mädchen er noch belästigt hat, während der Schulzeit womöglich …«

Mit quietschenden Reifen geht es zurück ins Präsidium, die Zeit drängt. Wer ist schneller, Heyne oder die Uhr, in weniger als zehn Minuten hat man die erste der drei tatverdächtigen Frauen bestellt. Heyne gewinnt knapp.

Felicitas Bötticher erscheint nicht allein, ihr Anwaltsgatte warnt durch seine Anwesenheit wortlos vor Formfehlern jeder Art, kein Wort ohne meinen Rechtsbeistand. Eine stinknormale, verwaschene Jeans steht der Madonna ausgezeichnet. Ein dekorativer Flirt mit dem Weltlichen? Dazu muß es natürlich ein raffiniert geschnittenes Oberteil aus reiner Seide sein, sehr edel, bestimmt auch sehr teuer, sonst wäre der Fall wohl zu tief. Niemand hier ahnt, welche Diskussionen vorausgegangen sind.

So willst du doch nicht gehen. Felicitas, ich bitte dich, das ist wohl ein Scherz! hat Holger Bötticher ungläubig gefragt und dennoch in zwanzig Minuten lediglich erreicht, daß sie ihr schlichtes Shirt gegen die rote Bluse getauscht hat, ein Teilerfolg, mehr nicht. Was hat Felicitas so verändert?

Sie strahlt, wie sie seit Jahren nicht gestrahlt hat, lebendig, wunderschön, wie zu neuem Leben erwacht, ein Zustand, den er seit Jahren erträumt hat, an dessen Erfüllung er schon nicht mehr glauben konnte, doch jetzt flößt die Verwandlung ihm Furcht ein. Sie gibt sich allzu offen und selbstsicher, ruht gewissermaßen in sich selbst, bemerkt nicht einmal, daß ihm an ihrer Seite eiskalter Angstschweiß ausbricht. Woher auf einmal diese innere Kraft? Er hat keine Ahnung. Er will auch gar nicht weiter darüber nachdenken, will vorsichtshalber nichts wissen.

Als die beiden den Raum verlassen, pfeift Lohse laut durch die Zähne. Verdammt hübsche Frau. Geld müßte man haben. Dieser Bötticher ist natürlich viel zu alt für die Dame, könnte glatt ihr Vater sein, aber wenn es in der Kasse laut genug klingelt, werden eben alle Frauen schwach. Ausnahmslos.

Auch Katja Starkowski hat keine Neuigkeiten zu berichten. Sie hält an ihrer ersten Aussage fest. Ja, wie schon gesagt, es gab Gerüchte, aber konkrete Fälle …, tut mir ehrlich leid.

Kurz nach Mittag dann die völlig unerwartete Begegnung zweier heimlicher Nachtjäger. Ein eindringlicher Blick in grüne Katzenaugen genügt. Greta wird schweigen. Sie legt keinen Wert darauf, als Freizeitnutte demaskiert zu werden, und er ist nicht minder interessiert, sein Freierdasein vor den Kollegen geheimzuhalten. Man gibt vor, sich nicht zu kennen.

Das Ergebnis der Laboruntersuchungen kommt um vier Uhr. Heyne traut kaum seinen Augen. Keinerlei Blutspuren auf den Kleidungsstücken. Mist. Weitaus schlimmer ist noch, was der Pathologe herausgefunden hat. Von Strack wurde etwa gegen vier Uhr dreißig erstochen. Der Täter muß etwas kleiner als das Opfer gewesen sein, das Messer wurde schräg von unten geführt. Ein einziger, tödlicher Einstich. Fest steht leider, daß zunächst kaum Blut ausgetreten ist, weil der Mörder die Tatwaffe in der Wunde stecken ließ. Erst eine ganze Weile nach Eintritt des Todes wurde das Messer herausgezogen und damit die Kastration vorgenommen. Daher stammt übrigens das meiste Blut. Es muß also nicht unbedingt Blutspuren an der Kleidung geben. Stracks Blut war außerdem mit 2,9 Promille Alkohol angereichert.

»Das gibt es doch gar nicht«, wettert Heyne, »schon wieder so ein faules Ei! Ein Toter, vier Verdächtige, keinerlei konkrete Hinweise. Nicht mal Blutspuren, absolut nichts. Verfluchte Scheiße!«

»Wir haben immer noch den Lippenstift«, will Johanna Mut machen.

»Bei unserem Glück garantiert eine Feld-Wald-und-Wiesen-Sorte, die man in jedem Kaufhaus kriegen kann. Wetten?«

Gerade als Christine Peschel eine zimmerhohe Bananenstaude verkauft, lateinisch *Musa paradisiaca,* steigt Robert etwa tausend Kilometer weiter südlich in einen rostigen Alfa Romeo spider, to Rimini please, der Fahrer, ein junger Italiener, grinst breit und nickt. Okay, Rimini. Der Wagen gehört seinem Bruder, der Tank ist voll, und Pablo brennt darauf, die Karre auszufahren, warum also nicht nach Rimini. Der Motor röhrt ungeduldig auf, ein Rennpferd, das sich kaum noch zügeln läßt, Robert steigt rasch ein, sein Rucksack landet mit Schwung auf dem Rücksitz. Bis zum Anschlag hat der Fahrer die Stereoanlage aufgedreht, Gianna Nannini kämpft mit ihrer heiseren Stimme gegen den Motorenlärm, bleibt jedoch Siegerin. Pablo gibt Gas. Der Wagen fliegt förmlich davon, berühren die Reifen überhaupt noch die Straße? Zwei Vogelfreie segeln über schmale Straßen, durch enge Kurven, überschreiten mutwillig die Grenzen der Schwerkraft, heute sind sie unbesiegbar. Angeturnt von Roberts allzu offensichtlicher Bewunderung beschleunigt Pablo den Wagen bis ans Ende aller Möglichkeiten, bis sein Fuß den Wagenboden berührt, bis es in ihren Ohren rauscht, bis die Umgebung zu einem verschwommen Grün zerfließt. Und Gianna röhrt sinnlich von Amore.

Bella Italia, Robert fühlt, wie sein Herz fliegt, wie es alle Fesseln der letzten Wochen kurzerhand sprengt, wie es ihn restlos befreit. Mit geschlossenen Augen genießt er den Rausch der Geschwindigkeit, das Auf-und-ab-Hüpfen in seinem Unterleib. Nie wieder Deutschland. Nie wieder Geschwindigkeitsbegrenzungen und TÜV, nie wieder Vernunft. In einer Haarnadelkurve hebt der Sportwagen dann endgültig ab, ein kurzer Freiflug, ein lautes Krachen, resigniertes Knirschen von überstrapaziertem Blech, das keinen Widerstand leisten kann. Der Wagen wickelt sich in Sekundenbruchteilen um den Stamm eines riesigen Baumes, als wäre er lediglich aus hauchdünnem Papier gefaltet. Die Räder drehen noch in der Luft, als die beiden Herzen bereits stillstehen. Ein letzter rebellischer Knall, als der volle Tank explodiert. Die beiden Leichen verbrennen bis zur Unkenntlichkeit. Roberts Rucksack, der während des Unfalls herausgeschleudert worden ist, liegt fünfzehn Meter entfernt in einem Dornengestrüpp. Er wird erst zwei Tage später gefunden werden.

Am Abend hat Christine Peschel immer noch keine Nachricht von Madame Chennier. Wenn sie bis morgen mittag nichts gehört hat, wird sie sich an die Polizei wenden. Ihrer wachsenden Besorgnis rückt sie gründlich mit Rotwein und Schlaftabletten zu Leibe. Ach was, der Junge wird schon zurechtkommen. Sobald er die Ferienwohnung erreicht hat, wird sie ihm nachfahren. Wenigstens für vierzehn Tage. Zwei Wochen zum Miteinanderreden, zum Sichnäherkommen, ob das ausreicht? Aber länger kann sie die Verkäuferin nicht allein lassen, sonst geht hier alles drunter und drüber. Robert hat schon irgendwie recht – aus seiner Sicht. Der Laden steht ganz oben. Aber er bedeutet ja auch ihrer beider Existenz. Das sollte man mit fünfzehn doch begreifen können.

Die Nudeln zum Abendessen sind verkocht, an der Tomatensauce fehlt Salz. Kein Wunder, Vera Feldmanns Kopf droht zu platzen. Enttäuschung, Wut, Haß, Trauer wühlen wie wilde Tiere darin herum. Wenn es Dieter nicht schmeckt, kann er ja auswärts essen gehen. Wäre ihr auch egal. Aber Dieter schluckt alles widerstandslos runter, sogar ihre schlechte Laune. Nur du und ich, wir beide …, fahr zur Hölle damit!

Die aggressive Hitze ist zu einer angenehmen Wärme zusammengeschmolzen, Luft wie Samt und Seide. Ein zärtlicher Wind fächelt Johanna den Duft der blühenden Jasminsträucher zu, die im hinteren Teil des Gartens eine dichte Hecke bilden. Irgendwo singt ein Vogel, ergreifend schön und tieftraurig zugleich, gewiß eine Nachtigall. Aber nein, es ist eine Singdrossel. Auf Zehenspitzen schleicht die Nacht heran, unmerklich dunkeln alle Farben des Tages nach, die Schatten werden länger, das Licht verliert langsam an Kraft.

Aufseufzend klappt Johanna ihr Buch zu. Allein in Leas Haus, in dem riesigen Garten, fühlt sie sich heute abend so verloren wie der letzte Mensch auf Erden. Selbst ihr Stolz, als einzige den Mörder beinahe auf Anhieb erkannt zu haben, fällt wie nichts in sich zusammen. Na und, was bedeutet das schon. Dadurch ändert sich auch nichts am Lauf der Welt.

Als die Sonne glutrot am Horizont verglüht, als der nacht-blaue Himmel Träume herabregnen läßt, romantische Träume von Glück und Liebe, von klopfenden Herzen und Sehnsucht, bleibt Johanna nur die Wahl in Selbstmitleid unterzugehen oder sich zu Helene zu flüchten. Sie entscheidet sich für letzteres.

»Du wirst noch ein weiblicher Maigret«, frotzelt Helene wenig später, und sie prostet Johanna mit klebriggelbem Eierlikör zu, ihrem absoluten Lieblingsgetränk.

Zwei junge Frauen kommen herein. Sie steuern zielstrebig den einzigen leeren Tisch an. »Zweimal Altbierbowle«, ruft eine von beiden mit piepsiger Stimme. Dann vertiefen sie sich in ein intensives Gespräch.

Wenig später ist ihre Unterhaltung so laut, daß Helene und Johanna zwangsläufig jedes Wort verstehen müssen.

»Ich sag dir«, erklärt gerade die Kleinere von beiden großspurig, »um den Kerl ist es nicht schade. Ein echtes Schwein war das …«

»Der von Strack? Wieso?« will die andere wissen.

»*Wieso* fragst du noch? Das wußte doch jeder. Je kürzer die Röcke, desto besser die Zensuren in Mathe. Und manche hat er während der Pause in sein Büro bestellt. Ist doch klar, was da passiert ist, oder? Der war verhaßt wie kein anderer!« Johanna Lauritz besinnt sich auf ihre Kommissarinnenpflicht. Nervös wühlt sie in ihrer Handtasche zwischen Papiertaschentüchern, losem Kleingeld und diversen Quittungen nach dem Kripoausweis.

Ein drohend geflüstertes »Untersteh dich«, läßt sie erstaunt aufsehen.

»Wenn du da rübergehst und meine Kundschaft mit deinem Kriposcheiß belästigst, kommst du hier künftig nur noch mit Durchsuchungsbefehl rein. Ganz im Ernst.« Helenes finstere Miene läßt erst gar keinen Zweifel an diesen Worten aufkeimen. Ihr ganzes Gesicht zieht sich zu einer bedrohlichen Gewitterfront zusammen, jeden Moment könnte es gefährlich blitzen. So erbost hat Johanna die Wirtin noch nie zuvor gesehen.

»Aber du hörst doch, daß sie was wissen«, zischt sie aufgebracht, den Hinweis auf Behinderung von polizeilichen Ermittlungen und auf die Strafe, die darauf steht, schluckt sie gerade noch mit viel Mühe herunter.

»Genau«, kontert Helene trocken. »Ich höre, und du hörst es auch. Glaubst du etwa, wenn du denen dein dämliches Papier unter die Nase hältst, erfährst du mehr? Im Gegenteil, die werden kein einziges Wort mehr sagen. Hör zu und halt die Klappe.« Die purpurfarbenen Kunstnägel klopfen nervös auf das Holz.

»Ich arbeite an dem Fall. Alles, was mit von Strack zu tun hat, ist für mich wichtig«, kontert Johanna beleidigt.

»Was glaubst du, was passiert, wenn sich rumspricht, daß bei Helene die Kripo ein und aus geht und sich in Privatgespräche einmischt? Ich kann es dir sagen, spätestens in einer Woche ist mein Laden leer. Nein, meine Süße, so nicht. Fünf Jahre hat es gedauert, bis ich wirklich reell verdient habe.

Und jetzt, wo alles so wunderbar läuft, willst du meine Kundschaft vergraulen? Johannakind, da hört die Freundschaft auf.«

Verärgert läßt Johanna ihre Handtasche zuschnappen – als Zeichen ihrer Kapitulation.

»Das bringt dir einen Rosé auf Kosten des Hauses ein!« ruft die Siegerin fröhlich. Und Johanna nimmt die Bestechung, falls man ein Glas Rosé so nennen kann, schweigend an. Eigentlich hat Helene gar nicht so unrecht, die beiden am Nebentisch würden garantiert kein Wort mehr von sich geben. Auf die meisten Menschen hat das Wort Kripo eine eher sprachhemmende Wirkung. Helene nippt selbstzufrieden an ihrem Eierlikör. Sie hat ihren Laden vor der Staatsmacht gerettet.

Greta Wollien braucht an diesem Abend fünf Dosen Bier, um überhaupt einschlafen zu können. Wäre es nicht besser, die anderen anzurufen, damit die ihre Gedächtnislücke auffüllen? Lieber nicht, schlafende Hunde sollte man nicht wecken.

Fünf Autominuten entfernt schweigen Felicitas und Holger Bötticher zum Fernsehprogramm. Später im Bett drehen sie einander den Rücken zu, gute Nacht, schlaf gut. Gleichmäßiges Atmen soll Schlaf vortäuschen, doch beide haben kein großes Talent zum Lügen.

Dienstag

Christine Peschels Sorgen wachsen ins Unerträgliche, sie erstickt beinahe daran. Endlich beschließt sie, sich an die Polizei zu wenden. Aber erst in der Mittagspause, ein paar Stunden Zeit will sie Robert noch lassen, eine letzte Chance für das Schicksal, doch noch in letzter Sekunde alles zum Guten zu wenden.

Heute hat Johanna ihrem Chef etwas mitgebracht. Neue Informationen. Frisch aus Helenes Frauenkneipe. Der von Strack war also wirklich heiß auf hübsche Mädchen. Manche hat er sogar ins Büro bestellt.

»Helenes Frauenkneipe, sagten Sie? Da gehen Sie hin?«

Sein anzügliches Grinsen verdirbt Johanna augenblicklich die Laune.

»Allerdings.« Du Arsch, fügt sie in Gedanken hinzu.

Auch Roland Bierwirth hat was zu bieten. Fotos von der Feier im »Grauen Esel«, die heute morgen abgegeben wurden. Alle versammeln sich um seinen Schreibtisch, wo er die Bilder bereits in ordentlichen Zweierreihen ausgelegt hat.

Das übliche – plumpe Umarmungen, hochrote Wangen, aufgerissene Münder, zum Lachen verzerrt, cheeese, zum Gruß erhobene Arme, Proooost, im Vordergrund Batterien von Bierflaschen und Gläsern. Alkohol beseitigt bekanntlich weitgehend die Hemmungen, vereinigt alle zu Brüdern der primitivsten Sorte, von manchen Gesichtern kann man fast die zotigen Sprüche ablesen. Momentaufnahmen eines Klassentreffens. Katja Starkowski hat Wein getrunken, neben ihr thront wie versteinert Felicitas Bötticher, eine unnahbare, eiskalte Schneekönigin in Weiß. Schwer vorstellbar, daß sie an diesem Abend auch nur ein einziges Mal gelacht hat. Und dennoch ist von viel Alkohol die Rede. Auf dem Bild schaut sie jedenfalls stocknüchtern aus. Greta Wollien erscheint gleich auf mehreren Fotos. Immer als strahlender Mittelpunkt. Immer als Objekt gieriger Männerblicke. Manchmal eine Hand auf ihrer Schulter. Einmal starrt ein aufgedunsener Fettsack unverwandt in ihre Bluse. Sie war wohl die Trophäe, die von Hand zu Hand weitergereicht wurde. Wer kennt nicht die tausendmal wiederholte Geschichte der volltrunkenen Frau, die sich nicht mehr wehren kann.

Zur gleichen Zeit inszeniert Lydia von Strack die Beerdigung ihres verstorbenen Gatten. So wenig feierlich wie nur möglich. Eine schlichte Zeitungsanzeige. Zwei Namen, seiner und ihrer. Kein Wort von stiller Trauer oder ähnlichen Lügen. Nichts. Statt Kränzen erbittet sie Geldspenden für die Kinderkrebshilfe. O nein, großartige Blumengebinde gönnt sie Hilmar nicht, darauf hat einer wie er keinen Anspruch. Telefonisch ordnet sie eine schlichte Feuerbestattung an, brennen soll er, sein sündiger Körper soll zu schwarzer Asche verglühen. Schade, daß er nichts mehr davon spürt. Sagt man nicht, die Toten würden sich im Angesicht der Feuersbrunst noch ein letztes Mal aufbäumen, so als wollten sie fliehen? Schon deshalb muß es eine Feuerbestattung sein. Am liebsten wäre sie selbst zugegen, um sich zu vergewissern, daß nichts als Asche übrigbleibt.

Die Uhr zeigt gerade zwölf Uhr dreißig, als im Büro des Ersten Kommissariats unerwartet ein Orkan ausbricht. Kampfbereit, mit hocherhobenem Kopf, mit funkensprühenden Augen und geballten Fäusten, rauscht Christine

Peschel durch die Tür. Ohne anzuklopfen. Die ganze Frau scheint elektrisch geladen, hunderttausend Volt allerreinster Wut knistern hörbar.

»Da, bitte. Das haben Sie mit Ihren falschen Anschuldigungen erreicht!« Zornbebend knallt sie Roberts Abschiedsbrief auf Johannas Schreibtisch. »Mein Sohn ist seit Samstag verschwunden. Und in meiner Wohnung in Frankreich ist er nicht angekommen. Wenn ihm was zugestoßen ist, mache ich Sie dafür verantwortlich!«

»Aber liebe Frau Peschel, was hat ...«, versucht Stefan Heyne sein Heil. Ein nachsichtiges Lächeln begleitet die Worte. Doch das ist genau die falsche Methode.

»Sie sind der Allerschlimmste! Halten Sie gefälligst Ihren Mund!« faucht sie ihn an und jeder kann in ihrem Gesicht lesen, daß sie eigentlich *Halt die Schnauze* gesagt hat.

Mit vereinten Kräften gelingt es dann doch noch, eine Art Gespräch zu führen. Setzen Sie sich erst einmal, möchten Sie einen Kaffee, darf ich den Brief noch mal sehen ...

Heyne macht ihr schließlich klar, daß ihre Annahme, Robert würde sich schnurstracks in die Ferienwohnung begeben, naiv ist. Er sagt natürlich »unwahrscheinlich«! »Warum sollte er wohl genau dahin fahren, wo Sie ihn zuerst vermuten? Ich denke, ein wenig mehr Phantasie sollten Sie ihm schon zugestehen. Wenn Sie es wünschen, werden wir aber die französischen Kollegen einschalten.«

Klirrend fällt die Stahlrüstung der Kämpferin zu Boden. Christine Peschel trägt darunter nichts als das karge Büßerhemd einer armen Sünderin. Wir reden ja nie miteinander.

»Ja, wenn es diese Möglichkeit gibt, wäre ich Ihnen sehr dankbar. Meinen Sie nicht auch, daß er sich längst hätte melden müssen? Er schreibt doch, daß er das tun will. Ich muß vielleicht mehr Geduld haben, nicht wahr?« Flehend schaut sie von einem zum anderen. Habt ihr nicht ein kleines bißchen Mut für mich? Nein, leider nicht.

Tränenblind stolpert sie aus der Tür. Hätte sie die fünfzehn Jahre nur besser genutzt. Wir reden ja nie miteinander. Sie fühlt sich schuldig, so schrecklich schuldig. Als Mutter hat man in diesem Land einfach nicht zu versagen.

Kaum hat sie den Raum verlassen, schaltet Hauptkommissar Heyne den internationalen Polizeiapparat ein. Immerhin ist Robert Peschel noch nicht völlig entlastet.

Am Dienstagabend blättert Edgar Lohse eine ganze Weile in seinem Telefonbüchlein. Immer wieder landet er bei dem Buchstaben W. Soll er oder soll er nicht? Unschlüssig schaltet er einmal quer durch die Programme, blöde Liebesfilme und viel Politik, mit anderen Worten nichts als Mist. Fluchend öffnet er sich eine weitere Dose Bier, die er mit geschlossenen Augen auf einen Zug leert, schließlich wählt er kurzentschlossen die vier bekannten Ziffern.

Und Greta, die wieder keine Ruhe findet, kommt nur zu gern. Und diesmal nicht allein wegen des Geldes. Seltsam, nach all den Stunden, die sie im Bett verbracht haben, nach all den Intimitäten, die sie ausgetauscht haben, nackt und hemmungslos, macht eine ungewohnte Befangenheit sie heute abend beinahe verlegen. Sie kramt unsinnigerweise in ihrer Handtasche herum, er bewundert mit großen Augen die Tapete, die seit drei Jahren seinen Flur verschönert. »Na, wie geht's?« brummt Lohse, und es klingt nicht sehr freundlich.

Greta zuckt mit den Achseln. »Wußte gar nicht, daß du bei der Mordkommission bist.«

Woher auch, gewöhnlich marschiert sie bei ihren Sechzig-Minuten-Besuchen schnurstracks in sein Schlafzimmer, er zählt die Scheine in ihre ausgestreckte Hand und dann geht es flugs zu Sache. Geredet wird dabei nicht viel, schon gar nicht über Persönliches.

Sie ist es dann, die das Eis bricht. »Wollen wir ewig hier rumstehen, oder willste wirklich was von mir?«

O ja, er will, und wie. In Windeseile bringen sie es hinter sich, ein gequältes Aufseufzen, schon hat sie ihn ans Ziel seiner Wünsche gebracht. Und Greta ist froh, daß es so schnell ging.

Nachdenklich betrachtet sie seinen muskulösen Körper, ihre Finger gleiten an seinem Bruskorb hinab, beinahe zärtlich.

Die Frage, die sie seit seinem Anruf gequält hat, läßt sich jetzt keine Sekunde länger zurückhalten. »Na, habt ihr schon einen Verdacht?« Und sie meidet jeden Blickkontakt, mustert statt dessen ausgiebig ihre Fingernägel, die dringend neu lackiert werden müßten.

Er zuckt regelrecht zusammen. Gerade, als er für ein paar Minuten verdrängen konnte, daß sie eine Mordverdächtige ist, daß das hier der absolute Wahnsinn ist, unter Umständen sogar das Ende seiner beruflichen Karriere bedeuten könnte – man stelle sich nur mal vor, der Chef würde davon erfahren –, gerade als er all das vergessen konnte, stöpselt sie diese Verbindung wieder zusammen. Scheiße.

»Darüber darf ich nicht reden«, knurrt er unfreundlich.

»Und du? Weißt du nicht doch mehr, als du bisher gesagt hast?«

Sollte sie gestehen, daß sie gar nichts weiß, sollte sie zugeben, daß sie sich an nichts erinnern kann? Sollte sie sich Edgar Lohse ausliefern? Greta preßt die Lippen krampfhaft zusammen, als könnte sie sonst die Wahrheit nicht bei sich behalten. Vertrauen kommt in ihrem Wortschatz nicht vor.

Mittwoch

Ein Unglückstag.

Am Mittwochmorgen klingelt das Telefon im Ersten Kommissariat.

Ein Opfer von Hilmar von Strack meldet sich, gibt mutig Namen und Adresse preis. Siebzehn Jahre ist es her, und ich habe es bis heute nicht geschafft, damit zu leben. Zweimal geschieden, immer war es meine Schuld, ich drehe durch, sobald ein Mann mich berührt. Immer noch fühle ich seine gierigen Finger. Das werde ich nie mehr los. Ich selbst hätte ihn abstechen sollen, vielleicht hätte mir das dann rausgeholfen.

Am Mittwoch meldet sich gegen Mittag die italienische Polizei. Roberts Rucksack wurde gefunden. Der Junge ist bei einem schweren Verkehrsunfall bis zur Unkenntlichkeit verbrannt. In der Nähe von Rimini. Frankreich war also eine absichtlich falsch gelegte Spur.

Robert Peschel. Wehmütig erinnert Johanna sich an schwarze Haare, an trotzige Blicke aus dunklen Augen. Ein sinnlos vergeudetes Menschenleben, ein falscher Verdacht, Beamte, die in bestem Glauben gehandelt und dennoch diesen Jungen ins Unglück getrieben haben. Betroffen wendet man sich ab, unfähig, Worte für die eigenen Gefühle zu finden, für dieses nagende Unbehagen, zu vorschnell geurteilt zu haben. Jeder im Raum hat urplötzlich tausend wichtige Dinge zu erledigen, ist viel zu beschäftigt, um Christine Peschel die Wahrheit zu überbringen.

Letztendlich wird Johanna als einziger Frau die Aufgabe

übertragen. Bitte, sagt Heyne sogar, geradezu flehentlich. Bitte. Und weil sie es keinem der anwesenden Männer zutraut, Christine Peschels Trauer aufzufangen, nur deshalb willigt sie schweren Herzens ein. Sie kann nämlich nicht vergessen, was Robert seiner Mutter geschrieben hat. Wir reden ja nie miteinander. Und nun ist es zu spät, um noch etwas gutzumachen.

Christine Peschel weiß bereits Bescheid, irgendeine Behörde, vielleicht die deutsche Botschaft in Rom, vielleicht Interpol, hat sie bereits gründlich informiert.

Einen Moment fürchtet Johanna, daß die Frau unter Drogen steht, weil sie so geistesabwesend lächelt, ihre Bewegungen erinnern an eine aufgezogene Puppe, selbst ihre Stimme klingt mechanisch und nicht menschlich.

»Ich habe es geahnt, die ganze Zeit schon, als ich den Brief fand, wußte ich, daß ich ihn nie wiedersehen würde.« Ob das so stimmt? Oder ob sie es sich einredet, um nachträglich an eine innige Mutter-Kind-Bindung zu glauben? Es sei ihr gegönnt, wenigstens das.

Sie setzt sich auf die Couch. »Ich war ihm keine gute Mutter, dafür hatte ich gar keine Zeit. Immer nur der Laden, der Laden. Kein Wunder, daß er fort ist. Nach Italien!« Mit der flachen Hand schlägt sie sich vor die Stirn. »Da hätte ich selbst draufkommen können. Sein Vater ist Italiener. Bestimmt hat er heimlich die Briefe gelesen. Was hätte er sonst ausgerechnet da unten gewollt? Polizeistation Rimini, sagten Sie?«

Ihr magerer Körper schüttelt sich unter heftigem Schluchzen.

»Frau Peschel, soll ich jemanden anrufen, der sich um Sie kümmert? Eine gute Freundin, Verwandte?«

»Ich habe niemanden, nur den Laden. Bringen Sie mich am besten in meinen Laden, der wird mich trösten …« Die

Worte enden in einem hysterischen Gelächter. »Ich …. ich sollte ihn heiraten«, stößt sie mit Mühe hervor. »Meinen geliebten Laden!«

Am Mittwochnachmittag klingelt das Telefon. Der Hersteller des Lippenstiftes ist ermittelt. Vereinfacht gesagt ging es so schnell, weil die Firma so etwas ähnliches wie gemahlenes Gold benutzt.

Die Firma sitzt in der Schweiz. Beinahe eine halbe Stunde muß Heyne sich per Telefon mit einer schlechtgelaunten Sachbearbeiterin herumschlagen, bis die endlich bereit ist, den Computer zu fragen, wo man in Deutschland Artikel dieser seltenen und ausgesprochen teuren Kosmetikmarke kaufen kann.

Hannelore Mersmann, immer auf der Suche nach ausgefallenen und exklusiven Waren, führt seit etwa zwei Monaten die Kosmetikartikel der Schweizer Firma »Marlene«. Die nächste Adresse liegt mehr als dreihundert Kilometer weiter südlich. Eine heiße Spur, dunkelrot mit goldenem Schimmer … »Bingo«, schreit Heyne erleichtert auf.

Der Polizeiwagen hält mit quietschenden Reifen, Heyne und Johanna springen heraus, erstürmen die Boutique, es fehlen eigentlich nur noch die gezückten Waffen.

»O Gott, was habe ich denn verbrochen?« erkundigt Hannelore Mersmann sich dann auch spitz und hebt demonstrativ die Hände. Gut, daß gerade keine Kundschaft anwesend ist. Ansonsten wäre ihr der Humor sicherlich vergangen.

Diesmal arbeitet das Schicksal für die Polizei. »Marlene«-Kosmetika verkaufen sich nicht besonders. Kein Wunder bei den Preisen. Goldglänzende Lippen sind sicher attraktiv, aber sie sollten bezahlbar sein.

Es geht um den Mord vom Wochenende. Um irgendeine geheimnisvolle Botschaft, die der Mörder ausgerechnet mit einem Lippenstift aus der »Marlene«-Kosmetikserie hinterlassen hat.

Vier Lippenstifte fehlen im Sortiment. Zwei davon stehen bei Hannelore Mersmann im Badezimmer. »Ich habe aber ein Alibi, ich war mit bei meiner Mutter in Hannover. Das ganze Wochenende! Einen – es war ein dunkelroter! – hat kürzlich Dr. Bötticher gekauft, sein Büro liegt genau gegenüber, *den* wollen Sie ja wohl nicht verdächtigen.« Sie feixt siegessicher. »Der Mann ist nämlich ein sehr bekannter Anwalt. Den vierten habe ich an Laufkundschaft verkauft. Tut mir leid, ich kann mich an das Gesicht nicht erinnern.«

Daß Heyne und Johanna beim Namen Bötticher einen vielsagenden Blick austauschen, entgeht ihrer Aufmerksamkeit.

Johanna holt die Fotos vom Mordabend hervor. Kennen Sie eine der Personen?

Katja Starkowski etwa? Entschiedene Verneinung. »Auf keinen Fall, diese Dame habe ich noch nie gesehen. Solche Übergrößen führe ich im übrigen auch gar nicht.«

Greta Wollien? Sie nickt zögernd. »Ja, die kommt manchmal her. Kauft meistens runtergesetzte Einzelstücke. Sie war zuletzt vor einer guten Woche hier und hat eine Seidenbluse mitgenommen. Eine schwarze. Reduzierte Ware vom letzten Jahr. Aber den Lippenstift hat sie nicht gekauft. Das weiß ich ganz genau. Die Kundin ist nicht besonders … äh … wohlhabend. Die würde sie niemals solche exklusive Kosmetika leisten.«

Was ist mit unserer wunderschönen Felicitas Bötticher? Sie zögert keine Sekunde.

»Tut mir leid, die Frau kenne ich nicht.«

»Das ist die Frau von Dr. Bötticher. Sagten Sie nicht gerade, die kauft regelmäßig bei Ihnen ein?« erkundigt Heyne sich erstaunt.

»*Das* ist die Frau von Dr. Bötticher? Darf ich noch mal sehen?« Neugierig betrachtet sie die Aufnahme. »Hübsch. Natürlich, sie trägt ja sogar das Kleid, das Dr. Bötticher letzte Woche bei mir gekauft hat.« Dann besinnt Hannelore Mersmann sich auf die Frage des Hauptkommissars. »Ich sagte eben, daß *er* hier einkauft. Dr. Bötticher selbst. Er kommt regelmäßig. Sie habe ich noch nie gesehen. Verstehen Sie, er kleidet sie wohl völlig ein. Ich möchte beinahe behaupten, daß er mein bester Kunde ist. Dr. Bötticher hat einen sehr sicheren Geschmack. Aber wenn das auf dem Foto seine Frau ist und er den Lippenstift gekauft hat ...«

Abrupt bricht sie ab. Ihren Gesichtsausdruck mit dem halboffenen Mund und den aufgerissenen Augen könnte man ganz uncharmant als dümmlich bezeichnen.

»Genau.« Heyne lächelt kühl. »Das mit dem Lippenstift müßten Sie uns gelegentlich unterschreiben. Wir melden uns. Auf Wiedersehen.«

Ein tonloses auf Wiedersehen begleitet die beiden hinaus auf die Straße. Hannelore Mersmann weiß nicht, was sie denken soll. War es ein Fehler, so vorschnell zu antworten? Rein geschäftlich gesehen auf jeden Fall. Wenn Dr. Bötticher nicht mehr herkommt, bedeutet das einen herben Verlust für ihre Boutique. Kunden, die überhaupt nicht auf den Preis achten, sind in so einer Kleinstadt nicht allzu dicht gesät. Aber Mord. Da muß man doch die Wahrheit sagen, macht man sich sonst nicht sogar strafbar? So sieht also die Frau von dem Bötticher aus. Die personifizierte Unschuld, passenderweise auch noch ganz in Weiß gekleidet. Und wie es scheint, trotzdem eine Mörderin. Sachen gibt's ...

»Hätten Sie das gedacht?« Man merkt Stefan Heyne deutlich an, daß der tiefe Fall des Engels ihm sehr zu schaffen macht. Johanna zuckt die Achseln. Besser die als Frau Starkowski.

Ein bißchen Schadenfreude empfindet sie auch, weil Heyne sich so gründlich geirrt hat. Dabei tut er immer so unfehlbar.

Am Mittwochabend wird Felicitas Bötticher geb. Schuhmacher verhaftet.

Hier endet die Macht aller Paragraphen. Kein Anwalt der Welt könnte gegen diese eindeutige Beweislage etwas ausrichten. Auch nicht ein Dr. Holger Bötticher.

Im Präsidium.

Während Heyne nervös auf und ab maschiert, eine Zigarette nach der anderen raucht, sich unablässig das Haar zurückstreicht, die Jacke an- und fünf Minuten später wieder auszieht, sitzt Felicitas Bötticher ganz ruhig auf ihrem Stuhl. Sie wirkt geradezu erleichtert, das muß man leider zugeben, so als wäre sie froh, eine schwere Last weitergeben zu können. Ein sanftes Lächeln entspannt ihre Züge, die Hände liegen locker verschränkt auf dem Schoß. Die Abendsonne vergoldet ihr offenes Haar. Und diese Frau soll fähig sein, einen Menschen umzubringen und auch noch zu kastrieren? Eigentlich ist das unvorstellbar.

»Würden Sie uns bitte noch einmal ganz genau den Verlauf des Abends schildern?« fordert Heyne die mutmaßliche Täterin auf.

Wider Erwarten schüttelt sie den Kopf. »Nein. Das reicht nicht aus. Ich möchte Ihnen, wenn ich darf, den Verlauf meines Lebens schildern. Darf ich?«

Natürlich darf sie. Wer könnte dieser Frau etwas abschlagen, Heyne jedenfalls nicht.

Felicitas Schuhmacher wurde als jüngstes von fünf Kindern geboren. Ein unerwünschter Nachzügler war sie und keineswegs ein verzärteltes Nesthäkchen. Ihre Mutter kränkelte im Schlafzimmer vor sich hin, ihr Vater, überfordert mit Beruf,

Haushalt und Kindererziehung, reagierte seine Wut, seinen Frust über dieses in seinen Augen verpfuschte Leben an den wehrlosen Kindern ab. Wie so oft traf es auch in dieser Familie die Schwachen. Und die Schwächste der Schwachen war Felicitas, die Kleinste. Selbst nicht weiter als bis zum einfachen Handwerker gekommen – die Schuld daran trug angeblich der Krieg, obwohl Eugen Schuhmacher 1945 gerade erst elf Jahre alt gewesen war –, erwartete er von seinen Kindern ganz selbstverständlich gute Schulleistungen. Wer keine Einser und Zweier vorweisen konnte, war faul und wurde entsprechend hart bestraft. Die älteren Kinder schrieben aus Angst gute Noten, auch wenn sie dafür bis in die Nacht hinein lernen mußten. Felicitas jedoch, dieses zarte, verträumte Mädchen, hielt dem Druck nicht stand. Vom ersten Schultag an fand sie sich nicht in der nüchternen Zahlenwelt zurecht. Mathematik war und blieb ihr fremd, wie eine Sprache, die sie beim besten Willen nicht verstehen konnte. Ihr Vater tobte, ihr Vater schrie, schlug zu, strich Taschengeld, verbot das Fernsehen – Felicitas schrieb eine Fünf nach der anderen. Mit zunehmendem Alter wuchs ihre Angst vor Rechenaufgaben ins Unermeßliche. In der siebten Klasse Realschule bekam sie als Lehrer Hilmar von Strack. Von Strack galt als streng und ungerecht, mit zitternden Knien schlich sie damals in seinen Unterricht, war gefaßt auf alles Böse. Doch es sollte ein kleines Wunder geschehen. Felicitas gegenüber ließ von Strack eine seltsame Milde walten. Nie mußte sie zur Tafel, um dort vor aller Augen ihre Unfähigkeit zu demonstrieren, nie mokierte er sich öffentlich über ihre dummen Fehler, niemals verlor er ein Wort über ihre schlechten Arbeiten. Felicitas schrieb im Wechsel schlechte Vieren und Fünfen, doch im Zeugnis erreichte sie immerhin eine schwache Vier.

Gegen Ende der achten Klasse bestellte von Strack Felicitas

eines Tages in sein Konrektorbüro. Ich habe mit deinem Vater gesprochen. Er ist sehr unzufrieden mit deinen Mathekenntnissen – ich übrigens auch. Im nächsten Zeugnis werde ich dir wohl oder übel eine dicke Fünf geben müssen. Eine Fünf! O nein. Eine Fünf bedeutete nichts anderes als Schläge, Hausarrest, Taschengeldsperre und und und …

Wie von selbst tropften Tränen auf seinen Schreibtisch, auf all die ordentlich gestapelten Papiere, die da lagen. Entschuldigung, flüsterte sie verlegen. Von Strack stand auf, ganz langsam, er kam um den Schreibtisch herum und legte den Arm um ihre zuckenden Schultern, nicht weinen, bitte nicht weinen. An jenem Tag sagte er die Worte, die das Ende ihrer Kindheit bedeuteten sollten. Natürlich bist du ein besonders nettes Mädchen, und ich mag dich wirklich sehr gern, ich könnte dir sogar helfen, auch wenn es für mich sehr gefährlich wäre. Immerhin bin ich als Lehrer ja dazu verpflichtet, gerecht zu sein. Du weißt, daß es einen Schulrat gibt, der so was überprüft. Eine lange Pause, wissende Blicke, die sie nicht verstand, dann die Worte: *Wenn du lieb zu mir bist!*, manchmal nur, ganz selten. Du weißt gar nicht, wie einsam ich bin. Du kriegst deine Vier, und ich bekomme ein bißchen Zuneigung. Niemand wird davon erfahren. Ein Geheimnis. Felicitas willigte ein, ohne zu verstehen. Nur keine Fünf in Mathe, alles, nur keine Fünf.

Am Anfang blieb es bei Küssen, eklig feuchten Zungenküssen, die sich endlos in die Länge zogen. Sie versuchte krampfhaft, nichts von seinem Speichel runterzuschlucken, hielt minutenlang die Luft an. Sobald sie sein Zimmer verlassen durfte, rannte sie wie von Furien gehetzt zum Mädchenklo, um sich den Mund gründlich mit Wasser zu spülen, um nur ja alle Reste seiner widerlichen Spucke auszuwaschen. Sie glaubte, sich selbst bewahren zu können, wenn es ihr nur gelang, nichts von ihm in ihren eigenen

Körper einzulassen. Und es war ja auch nicht alles schrecklich, was in seinem Zimmer geschah. Ein kleines bißchen war sie auch stolz darauf, daß ein Lehrer wie von Strack, einer, vor dem alle Angst hatten, vor dem sogar die Jungs strammstanden, daß so einer ihr seine ganze Aufmerksamkeit schenkte. Daß er sie freundlich behandelte, daß er ihr liebe Worte sagte. So wichtig war sie bis dahin noch keinem Menschen gewesen. Schon gar nicht ihren Eltern. Dafür ließen sich die Spuckeküsse ertragen.

Es sollte nicht dabei bleiben. Bald schon mußte sie sich ausziehen, damit er ihren Körper betrachten konnte. Weil sie so schön wäre, schöner als jedes andere Mädchen der Schule. Sie ließ es mit geschlossenen Augen über sich ergehen. Wochen später begann er damit, sie überall mit seinen schweißnassen Händen zu begrapschen. Am Ende kannten die Finger nur noch ein Ziel, ihren Slip. Sie forschten, gruben, bohrten zwischen ihren Beinen, als wären sie dort zu Hause, als hätten sie ein Anrecht, dort zu tun, was sie wollten. Es war grausam, es war entwürdigend, doch es war zu spät, um *nein* zu sagen. Bei wem hätte sie sich beschweren sollen? Sie hätte ja eingestehen müssen, daß sie seit Wochen schon »mitmachte«, daß sie selber mindestens genauso schuldig war wie er. Sagte er nicht pausenlos, daß sie ihn um den Verstand bringen würde? Und würde man ihr, einem Schulkind, überhaupt Glauben schenken? Felicitas saß in der Falle.

Die Mutter lag mit Kopfschmerzen im Bett, stör mich jetzt bitte nicht, und der Vater schimpfte immer nur, verteilte Ohrfeigen für Nichtigkeiten, und von Strack fordete: *Felicitas, komm nach der Stunde bitte in mein Zimmer!*

In demselben Maß, indem seine Wünsche stiegen, kletterte auch ihr Notenspiegel. Von Strack manipulierte ihre Mathearbeiten, bis sie im Abschlußzeugnis der Realschule sogar eine glatte Drei vorweisen konnte, o ja, er gab sich wirklich Mühe, seinen Teil der Abmachung zu erfüllen.

»Danach habe ich ihn nie wiedergesehen. Bis zum Klassentreffen. Und ich habe, auch wenn das jetzt unglaubwürdig klingt, im Laufe der Jahre alles vergessen. Ich wußte nichts mehr davon, es war einfach weg. Erst als er zur Tür hereinkam, war alles wieder präsent. Als hätte jemand einen Vorhang aufgezogen ...«

»Ist es damals zu einer Schwangerschaft gekommen?«

Nein, es kam ja nie zum Geschlechtsverkehr. Er hat *nur* herumgefummelt, hat dem Kind *nur* seinen Körper entfremdet, hat *nur* sein Anrecht auf die freie Entwicklung einer gesunden Sexualität zerstört. *Nur*.

Felicitas Schuhmacher hat früh geheiratet. Den ersten Mann, der sich ernsthaft für sie interessierte. Klar wollten damals viele Gleichaltrige mit ihr gehen, aber die wollten ja immer gleich knutschen und unter den Pullover fassen, das konnte sie nicht ertragen. Holger war älter, gesetzter, der wollte sie wenigstens heiraten. Im Bett, na ja, da hat sie eben stillgehalten. Das war sie ja gewohnt. Wenigstens zwischendurch ließ er sie in Ruhe. Dafür hat er ihr gegeben, was ihr noch kein Mensch zuvor gegeben hat. Zuneigung, Liebe, er hat in jeder Beziehung für sie gesorgt, hat sie behandelt wie sein Kind, so wie ihr Vater sie niemals behandelt hatte. Und er hat klaglos hingenommen, daß sie selber eigentlich nichts zu geben hatte, nur ihre Schönheit.

»Ich hatte immer das Gefühl, überhaupt nicht richtig zu leben. Alles, was um mich herum geschah, hatte nichts mit mir zu tun. Ich gehörte gar nicht dazu. Ich hatte keinen Einfluß auf die Dinge, ich war immer nur Zuschauer. Ich fühlte mich als Eigentum meines Mannes, so wie ich mich vorher wahrscheinlich als Eigentum von Herrn von Strack gefühlt hatte. Handlungsunfähig. Doch mein Mann hat mich sehr, sehr gut behandelt, er hat mich wirklich geliebt. Jedenfalls mein Äußeres.« Sogar den unseligen Lippenstift hat er ihr mitgebracht, den Lippenstift, der sie jetzt als Mörderin entlarvt. Der Mord …

»Wir hatten uns in der Küche verabredet. Ich bin darauf eingegangen, mit der festen Absicht, ihn zu ermorden. Er stand da und hat auf mich gewartet. Das Messer lag auf einem der Tische herum. Zuerst habe ich ihn getötet. Dann kam mir die Idee, *für M. und alle davor!* auf die Kacheln zu schreiben. Sein eigenes Blut wäre natürlich viel passender gewesen, aber er hat nicht genug geblutet. Da fiel mir der Lippenstift ein. Das sah fast genauso aus. Daß man herausfinden kann, wer einen solchen Lippenstift besitzt, daran habe ich wirklich nicht gedacht. Ich bin dann zurück in den Gastraum. Später fiel mir ein, daß ich ihn noch kastrieren könnte, das erschien mir wirklich passend. Ich ging noch einmal hin. Das war nicht weiter gefährlich. Die Toilettentür befand sich direkt neben der Küchentür. Und die beiden Wirtsleute schliefen fast. Zuerst mußte ich ihn umdrehen, er lag ja auf dem Bauch. Dann habe ich ganz vorsichtig das Messer aus der Wunde gezogen. Die Hose hatte ich schon aufgemacht und runtergezogen. Na ja, ich habe sein Glied abgeschnitten und es in seine rechte Hand gelegt. Da fing es doch noch an zu bluten. Den Griff des Messers habe ich mit einem Geschirrtuch abgewischt. Wegen der Fingerabdrücke. Und ich habe sehr aufgepaßt, daß kein Blut an meine Kleider kam.« An dieser Stelle bittet Felicitas Bötticher um ein Glas Wasser. Sie trinkt ein paar Schlucke, spricht weiter.

»Ich glaube, für meinen Mann ist es das Beste, daß ich für lange Zeit hinter Gitter komme, lebenslänglich erwartet mich ja wohl. Dann kann er sich scheiden lassen und einigermaßen unbehelligt die Praxis weiterführen. Für den

Jungen sorgt er bestimmt besser, als ich das jemals könnte. Im Grunde ist es ja heute schon so. Ich bin in diesem Haushalt völlig überflüssig. Ein lebender Ziergegenstand. Nehmen Sie bitte ins Protokoll auf, daß ich Herrn von Strack erstochen habe. Aus Rache. Weil er mich über Jahre sexuell mißbraucht hat. Er hat es nicht anders verdient. Haben Sie das? Ja? Dann möchte ich jetzt bitte in meine Zelle. Ich bin sehr müde.«

Als die Beamtin Felicitas Bötticher aus dem Raum führen will, dreht diese sich noch einmal um.

»Ach so, eine letzte Bitte habe ich noch. Ich möchte auf gar keinen Fall mit meinem Mann sprechen, ich möchte überhaupt keinen Besuch. Das Recht habe ich doch?« Und dann die Worte, die Johanna die Tränen in die Augen treiben: »Wußten Sie eigentlich, daß Felicitas *die Glückliche* bedeutet?«

Das Ende einer Tragödie. Die Mörderin bleibt moralische Siegerin, ein seltsam glückliches Lächeln läßt sie schöner denn je aussehen, sie muß sehr erleichtert sein, endlich die Wahrheit gesagt zu haben.

»Ich wünschte, wir hätten es nie rausgefunden.« Johannas Stimme klingt brüchig. »Es ist so verdammt ungerecht. Er hat ihr schließlich das ganze Leben versaut, und jetzt muß sie auch noch ins Gefängnis. Lebenslang. Zum zweitenmal praktisch. Lebenslang unfähig zu lieben und lebenslang hinter Gitter …«

Auch Heyne läßt dieses Geständnis nicht unberührt, diese todtraurige Geschichte – oder ist es doch nur die Frau selbst? Kurzentschlossen öffnet er seinen Wandschrank und holt eine Flasche Weinbrand und zwei Schnapsgläser hervor.

Sie trinken wortlos ein Glas nach dem anderen, jeder hängt seinen eigenen Gedanken nach.

»Die kriegt niemals lebenslänglich. Bei der Vorgeschichte!«
mutmaßt Heyne eine halbe Stunde später mit glasigen Augen. »Bötticher wird schon dafür sorgen, daß sie einigermaßen glimpflich davonkommt. Totschlag unter Alkoholeinfluß, verminderte Schuldfähigkeit, was weiß ich. Der hat seine Püppi bald wieder. Wetten?«

»Ich glaube nicht, daß es gut für sie ist, wieder in Böttichers erdrückender Fürsorge zu versinken«, erwidert Johanna, und es fällt ihr schwer, die einzelnen Worte klar voneinander zu trennen. Zuviel Weinbrand. Pro Person eine halbe Flasche.

»Soll ich uns 'n Taxi bestelln?« will Heyne wissen.
Sie nickt zerstreut. »Schon leer, die Flasche?«

Irgendwie kommt es dazu, daß beide in Johannas Wohnung landen. Vielleicht, weil da noch Weinbrand im Schrank steht. Die eiserne Reserve für schlechte Zeiten. Und schlechter als an diesem Mittwoch kann es wohl nicht mehr werden. Noch mehr Weinbrand. Gegen zwei Uhr morgens sinken sie in Johannas Bett. Ein kurzer, flüchtiger Liebesakt, völlig unerotisch. Gut möglich, daß Heyne eigentlich Felicitas Bötticher meint. Und daß Johanna einfach nur menschliche Nähe braucht. Gleich darauf flüchten sie sich in tiefen Schlaf.

Donnerstag

Peinliches Erwachen. Kopfschmerzen. Der Chef schnarcht in ihrem Bett. Siezen kann man sich jetzt auch nicht mehr. Und dennoch entbehrt die Situation nicht einer gewissen Komik. Heyne öffnet langsam die Augen – und läuft augenblicklich dunkelrot an; wie eine verstörte Jungfrau stammelt er was von Sich-an-nichts-mehr erinnern-Können. Nein, mein Junge, so glimpflich kommst du mir nicht davon, beschließt Johanna augenblicklich und verdrängt damit den Gedanken, der an ihr nagt: Wie konnte ich nur ausgerechnet mit diesem Pseudo-Versicherungsvertreter?

»Willst du zuerst duschen?« fällt sie mit der Tür ins Haus, und er schleicht sich verlegen nickend davon. Höchstwahrscheinlich wäre er am liebsten beim Sie geblieben. Von wegen!

Johanna kocht Kaffee und Eier, Heyne duscht. Rollentausch. Johanna duscht, Heyne deckt den Tisch. Auf ihrem Südbalkon, die Sonne gibt sich schließlich solche Mühe.

»Du wohnst wirklich schön«, murmelt Heyne hinter der Zeitung.

»Ich habe auch lange gesucht, um so eine Wohnung zu finden.«

»Ich habe leider gar keinen Balkon.«

»Möchtest du noch Kaffee?«

»Ja, gern.«

Mit dem Bus geht es ins Büro, Johanna wohnt sehr zentral,

die Fahrt dauert kaum zehn Minuten. Sie benehmen sich unterwegs wie zwei einigermaßen gute Freunde.

Roland Bierwirth und Edgar Lohse waren pünktlich, verwundert registrieren sie, daß der Chef und Johanna gemeinsam um zwanzig nach acht erscheinen. Kann das ein Zufall sein? Auch Cora Samcke sieht die beiden zusammen ankommen. Ihre Augen sind rot und verschwollen, beim Tippen des Geständnisses von gestern abend sind ihr die Tränen übers Gesicht gelaufen. Diese arme Frau Bötticher, manche Kerle sind doch wirklich Schweine.

Als einzige registriert Frau Samcke sofort, daß der Hauptkommissar entgegen seiner Gewohnheit dasselbe Hemd wie gestern trägt, auch dieselben Socken. Messerscharf folgert sie die Wahrheit. Ohnehin schon angeschlagen, bedeutet das ihr endgültiges Aus. Mit zitternden Knien tritt sie den Rückzug hinter ihren Schreibtisch an, jetzt bloß nicht losheulen. Der Traum, an dem sie vier Jahre gebaut hat, löst sich in ein nebulöses Nichts auf, innerhalb von Sekunden, einfach so. All das, was sie in seinen Augen zu lesen meinte, war also eine Illusion. Tagträumereien einer einsamen Frau. Oberkommissarin Johanna Lauritz hat ihr von Anfang an nicht gefallen. Diesem Typ Frauen steht sie mißtrauisch gegenüber. Solche, die rein gar nichts aus sich machen, die jeden Tag gleich aussehen, so als wäre ihnen ihr Äußeres unwichtig. Als bräuchten sie keine männliche Anerkennung, keine Zuwendung, keine Liebe. Als ständen sie darüber, als hätten sie genug an sich selbst – vielleicht auch an ihresgleichen, natürlich, an so was hat sie auch schon gedacht. Schwarzes Leder, sogar im Hochsommer, das muß doch unangenehm sein. Dazu diese unförmig weiten T-Shirts, die Johannas Figur erfolgreich verbergen. Und erst diese grausame Haarfarbe, diese strubbelige Frisur, die sie wie eine ungezogene Göre aussehen läßt.

Was um alles in der Welt findet ein eleganter Mann wie Hauptkommissar Stefan Heyne, einer, der nie im Leben grüne Socken zu einem blauen Hemd anziehen würde, an so einer unweiblichen, schrillen Person? Die steht doch mit ihrer eigenen Weiblichkeit auf Kriegsfuß. Ist es etwa, weil sie noch so jung ist? Ach was, die ist doch auch schon über dreißig. Nein, es gibt keine logische Erklärung. Vielleicht war er einfach nur stinkbesoffen, so blau, daß er jede genommen hätte, jede. Aber selbst dieser Gedanke hat nichts Tröstliches.

Jetzt fragt der Chef auch noch, ob das Geständnis fertig sei. In einem barschen Ton, als wäre sie irgendeine x-beliebige Tippse.

»Gewiß doch.« Sie lächelt tapfer unter Tränen. Tränen, die er mißversteht. »Ist 'ne üble Geschichte, was? Das geht uns wohl allen an die Nieren.«

Johanna dagegen spürt geradezu körperlich die Abneigung der Sekretärin. Augenblicklich fallen ihr schmachtende Blicken aus lila geschminkten Augen ein. Das bedeutet jetzt wohl für die Zukunft eine unausgesprochene, doch dadurch nicht minder ernstzunehmende Feindschaft.

Der Mordfall Hilmar von Strack darf ad acta gelegt werden. Bleibt noch der Mord an Melanie Feldmann. Nachträgliche Beweise für die Schuld von Stracks werden sich bedauerlicherweise nur noch schwerlich finden lassen. Ein Toter kann nichts mehr gestehen.

»Wir sollten wenigstens noch seine Frau befragen. Und vielleicht seine Sachen durchsehen ...«, überlegt Heyne laut.

»Glaubst du, daß die darüber Bescheid weiß?« Johanna gähnt ganz ungeniert.

Du??? Lohse und Bierwirth wechseln vielsagende Blicke, Stefan Heyne läuft schon wieder rot an. Verlegen öffnet er die unterste Schreibtischschublade, um so weit wie möglich darin zu verschwinden.

In diesem Moment beschließt Johanna endgültig, die letzte Nacht unter der Rubrik »Leichte Fehler« abzuheften. Versicherungsvertreter waren sowieso noch nie ihr Fall.

Auf der kurzen Autofahrt zu Lydia von Strack wird weiter gemutmaßt. Wußte sie von den Perversionen ihres Gatten?

»Gute Frage. Wenn ich an ihre Reaktion auf seinen Tod denke …, also, todunglücklich schien sie mir weiß Gott nicht zu sein. Kann so einer gleichzeitig Kinder schänden und eine normale sexuelle Beziehung zu seiner Frau unterhalten? Blöde Frage. Männer können so was wahrscheinlich!«

Das Wort Männer spuckt Johanna beinahe aus.

»Manchmal wirkst du auf mich absolut männerfeindlich.« Ist es Einbildung, daß Stefan Heyne dabei gekränkt ausschaut?

»Manchmal bin ich das auch«, lautet die ehrliche Antwort.

Diesmal sind alle Jalousien hochgezogen. In allen Fenstern blühen üppig Begonien. Weiße Begonien. Beerdigungsblumen.

Lydia von Strack öffnet gleich beim ersten Klingeln. Sie trägt ein schwarzes Kleid mit schmalen weißen Streifen, elegant und sehr kleidsam. An Trauerkleidung würde man nicht automatisch denken.

»Was kann ich für Sie tun? Aber treten Sie doch bitte näher.« Wie üblich verzichtet Stefan Heyne auf lange Einleitungen.

»Frau von Strack, es ist uns gelungen, die Mörderin Ihres Mannes zu verhaften. Es handelt sich um eine ehemalige Schülerin. Nach ihren Angaben hat Ihr Mann sie jahrelang sexuell mißbraucht.«

»Das kann ich mir nicht vorstellen«, behauptet sie mit fester Stimme, und ihr dezent geschminktes Gesicht verrät keinerlei Emotionen. Sie hat sich ohne Frage vollkommen in der

Gewalt. Was für eine eiskalte Frau. Eine, an deren Seite man glatt erfrieren könnte.

»In der Zeitung wurde ja auch schon angedeutet, daß Ihr Mann eventuell etwas mit dem Mord an Melanie Feldmann zu tun haben könnte. Sie war ebenfalls seine Schülerin«, kratzt Heyne unbeirrt weiter an der glatten Oberfläche. Irgendwo wird sich schon eine schwache Stelle finden, an der man den Hebel ansetzen kann.

Demonstrativ seufzt sie auf. »Natürlich habe ich davon gelesen. Das hat ja wohl jeder hier. Aber ein Mörder war mein Mann nicht, das kann ich einfach nicht glauben.«

»Und die Geschichten mit seinen Schülerinnen, haben Sie wirklich nichts davon geahnt?« schaltet sich Johanna ein. »War nie eines der Mädchen hier im Haus?«

»Vielleicht vor siebzehn Jahren? Eine ehemalige Schülerin Ihres Mannes hat dazu eine Aussage gemacht. Sie behauptet, daß Sie davon gewußt hätten …« Jetzt wird der Hauptkommissar konkret.

Einen Moment lang verliert sie die Fassung, schluchzt trocken auf. Na bitte. Niemand ist unangreifbar, nicht mal so ein Eisblock wie Lydia von Strack.

»Sie wollen die Wahrheit wissen? Die Wahrheit?« stößt sie verächtlich hervor. Für einen kurzen Moment zögert sie noch, kämpft vielleicht einen letzten inneren Kampf, Wahrheit oder Lüge. Endlich seufzt sie resigniert auf und streckt die Waffen. »Ja, es stimmt. Sie haben völlig recht. Mein verstorbener Mann vergnügte sich gern mit Schülerinnen. In den ersten Jahren unserer Ehe habe ich nichts davon gewußt. Vielleicht war es damals ja auch noch gar nicht so. Vor etwa zwanzig Jahren fing es an. Er bestellte sich nachmittags Schülerinnen ins Haus. Nachhilfe nannte er das. Und ich durfte ihn nicht stören. Einmal kam ich ins Zimmer, ohne anzuklopfen. Ich werde es nie vergessen. Ich hatte gerade einen Anruf bekommen, daß mein Vater einen Infarkt erlitten hatte. Kopflos stürzte ich in sein Arbeitszimmer. Er kniete vor dem Mädchen. Sie war praktisch nackt. Ich weiß nicht mehr, was ich sagte, was ich tat. Er flehte unter Tränen um Vergebung. Die Kleine hätte ihn verrückt gemacht, hätte es darauf angelegt. Er schwor mir seine Liebe. Und ich habe es geglaubt.« Lydia von Strack lacht bitter auf. »Ja, so dumm war ich damals. Kein Mensch machte sich Gedanken über solche Dinge. Sexueller Mißbrauch. Das Wort gab es doch gar nicht. Ich dumme Gans war nur zu gern bereit, dem Mädchen die Schuld zu geben. Vielleicht um meine Ehe zu retten, vielleicht, weil ich ihn damals so wahnsinnig zu lieben glaubte. Vielleicht um vor meinen Eltern nicht als Versagerin dazustehen. Er schwor, es würde nie wieder passieren.«

»Und?«

»Es kamen wieder Mädchen ins Haus, immer wieder. Mein Gott, wie ich sie verabscheute. Weil ich glaubte, sie wären nur darauf aus, mir meinen Mann zu stehlen. Ja, ich habe sie von Herzen gehaßt. Für mich waren sie nichts anderes als kleine Flittchen!«

»Hat er die Mädchen weiterhin hier mißbraucht?« Johanna kann nicht länger an sich halten. Das, was die Frau da sagt, ist doch schier unglaublich. Daß sie wußte ... und schwieg.

»Ich habe keine Ahnung. Erwischt habe ich ihn nie mehr dabei, falls Sie das meinen. Zu meiner Beruhigung hat er sogar manchmal Jungs bestellt. Erst drei oder vier Jahre später kam ich wieder dazu, wie er eine Schülerin küßte. Es war wie die Wiederkehr eines Alptraums. Seine Tränen, seine Versprechungen, seine Schuldzuweisungen. Die frechen Blicke, die kurzen Röcke. Na ja, ich vergab ihm wieder, nicht sofort, aber nachdem er mich ein paar Wochen mit Liebesentzug bestraft hatte. Allerdings verlangte ich, daß er nie wieder Nachhilfeschülerinnen ins Haus bestellte – und er willigte sofort ein. Danach passierte nichts mehr. Dachte ich jedenfalls. Bis in der Schule Gerüchte auftauchten, er würde sich Schülerinnen ins Büro bestellen. Ich bekam anonyme Anrufe. Mein Mann wäre ein Schwein. So in der Art. Langsam dämmerte mir die Wahrheit. Wir sprachen uns aus. Er gestand mir seine Passion für Minderjährige. Ich weiß nicht, wie ich Ihnen das beschreiben soll. Es war für mich beinahe schlimmer als der Tod, an seiner Seite weiterleben zu müssen. In den letzten Jahren habe ich ihn zutiefst verabscheut, das müssen Sie mir bitte glauben. Wir hatten auch nie mehr … wir waren nicht mehr intim miteinander.« Intim. Wie sie das sagt, als wäre ihr dieses Wort und vor allem seine Bedeutung total fremd. Ohnehin kann man sich diese Frau, die dort mit so unbeteiligter Miene die unvorstellbarsten Dinge erzählt, nicht als leidenschaftliche Geliebte vorstellen. Intim. Intim kann diese Frau gar nicht sein.

»Und warum haben Sie nicht die Scheidung eingereicht?« wundert Johanna sich. Das wäre ja wohl die logische Konsequenz.

Scheinbar nicht für jeden. Frau von Strack schüttelt mit großen Entschiedenheit den Kopf. »Nein, das kam nicht in Frage. So einen Skandal wollte ich nicht erleben, schon wegen meiner Eltern war das undenkbar. Sie sind überaus konservativ eingestellt. Meine Mutter ist eine überzeugte Katholikin. Ein Scheidung hätte für sie gar keine Gültigkeit. Ich bin die einzige Tochter. Ich setzte meinen Mann so gut es ging unter Druck. Keine Schülerinnen mehr, das mußte er mir fest versprechen. Dafür reiste er jeden Sommer sechs Wochen nach Thailand. Sie wissen schon, weshalb. Niemand ahnte was davon. Den Rest des Jahres taten wir so, als würde diese unselige Leidenschaft nicht existieren. Ich

ignorierte, daß er sich in seinem Arbeitszimmer stundenlang widerliche Filme ansah. In den letzten beiden Jahren
flog er auch schon über Ostern und in den Herbstferien in
diese Länder. Ich habe es hingenommen. Habe mir einge-
redet, damit wäre alles in Ordnung.«

»Als die Sache mit der Schülerin passiert ist, haben Sie da
keinen Verdacht gehabt?« Am liebsten würde Johanna auf-
stehen, und diese Frau schütteln. Merkt sie denn gar nicht,
von welchen Monströsitäten sie da berichtet? Wie schuldig
sie selbst ist, wie absolut mitschuldig?

Frau von Strack antwortet mit einem schlichten Nein. Ihre
manikürten Fingernägel malen ein unsichtbares Muster auf
die Streifen des Kleides. Sie sieht nicht auf.

»Dürfen wir eventuell seine Sachen sehen? Wir haben allerdings keinen Durchsuchungsbefehl dabei.«

Warum nicht. Hat Lydia von Strack nicht bereits alles gesagt,
alles zugegeben, hat sie nicht soeben selbst die Hochglanz-
fassade ihres Lebens eingerissen? Was hätte sie noch zu
verlieren? Bereitwillig öffnet sie die Tür zu von Stracks
Arbeitszimmer. Bitte, sehen Sie sich ruhig um. Sie selbst
bleibt im Türrahmen stehen.

Rasch werden sie fündig. Unmengen bunter Hefte, illegale
Kinderpornos der übelsten Sorte, nur sehr nachlässig versteckt, in der Schreibtischschublade und zwischen seinen
Zeitschriften. Bilder, so abstoßend, so pervers, wie sie es sich
im Leben nicht vorgestellt hätten. Keiner traut sich, dem
anderen in die Augen zu sehen, keiner weiß etwas Angemes-
senes zu sagen. Das Archiv an Filmen wagen sie gar nicht
erst näher anzuschauen.

Entsetzt schüttelt Lydia von Strack den Kopf. Daran hat er
sich also erregt, zarte Kinder mit schreckgeweiteten Augen.
Mit so einem Mann hat sie jahrelang das Bett geteilt, so einer
hat sie berührt, überall angefaßt. Woran er wohl gedacht

hat, während er in sie hineinstieß, welche Schweinereien mag er sich vorgestellt haben, während er sich im Orgasmus stöhnend auf ihr wälzte?

Später entdecken sie noch Fotoalben mit Schnappschüssen seiner Thailandreisen. Ein schmierig grinsender von Strack betätschelt zarte, schüchterne Thaimädchen. Kinder, in deren Augen die Sonne für immer untergegangen ist, lächeln gezwungen in die Kamera, schreien wortlos um Hilfe. Die beiden Frauen wenden den Blick ab, diese anklagenden Kindergesichter kann man nicht aushalten. Heyne rafft die häßlichen Bilder zusammen. Beweisstücke dafür, daß von Strack ein Schwein der miesesten Sorte war.

Als sie gehen, schaut Lydia von Strack ihnen lange nach. Das letzte bißchen Wahrheit hat sie für sich behalten. Aus purer Eitelkeit, nur um nicht als völlig unglaubwürdig dazustehen, obwohl das plötzlich so unwichtig erscheint. Jetzt, wo sie erst das ganze Ausmaß ihrer Schuld begriffen hat. Sie war eine gewissenlose Mittäterin, eine, die über viele Jahre kleine Mädchen für den äußeren Anschein einer intakten Ehe geopfert hat. Endlich kann Lydia von Strack wirklich weinen.

Im Herbst wird sie damit beginnen, große Geldsummen an ein Heim für sexuell mißbrauchte Kinder zu spenden, sie wird sich immer stärker engagieren, auch persönlich, und eines Tages wird sie in den Spiegel schauen und darin eine zufriedene Frau in mittleren Jahren sehen, die endlich Ruhe gefunden hat.

»Ich glaube, ich muß gleich kotzen«, stöhnt Johanna im Büro, als man den beiden anderen die Fotografien zeigt. »Hat jemand schon mal solche abstoßenden Bilder gesehen?«

Selbst Edgar Lohse, der in sexueller Hinsicht durchaus aufgeschlossen ist, schlägt beschämt die Augen nieder, und er steckt sein angebissenes Butterbrot wieder ein. Der Appetit ist ihm gründlich vergangen.

»Solche Mistkerle gehören eingesperrt. Die dürften nie mehr rauskommen«, lautet sein einziger Kommentar, und seine Hände ballen sich zu Fäusten.

Und Roland Bierwirth, der selbst zwei kleine Töchter hat, wird beim Anblick der Fotos kreidebleich, Tränen treten in seine braunen Augen, und Johanna möchte ihn beinahe dafür küssen.

Was für eine verwickelte Geschichte. Zwei Morde. Ein Täter, der selbst ermordet und damit zum Opfer wurde, jedenfalls rein juristisch gesehen. Seine Mörderin war jahrelang sein Opfer. Und ein ermordetes Mädchen, die keinem etwas zuleide getan hat. Nur Opfer, wenn man so will. Auch die Täter waren Opfer. Zum ersten Mal will sich absolut keine Zufriedenheit darüber einstellen, daß man einen Mord aufgeklärt hat.

Dabei könnte die Kripo sich eigentlich zufrieden zurücklehnen. Man war erfolgreich. Heyne, der Chef, formuliert noch rasch eine Presseerklärung, damit die Öffentlichkeit erfährt, daß der Polizeiapparat immer noch funktioniert. Morgen vormittag sollen die letzten Berichte getippt werden, dann geht es ins freie Wochenende, Überstunden haben sie in den letzten Wochen genug geleistet. Was bleibt, ist Sache der Justiz.

Jeder reagiert an diesem Abend sein Entsetzen auf die ihm eigene Art und Weise ab. Im Bodybuildingstudio malträtiert Lohse seinen Körper bis weit über die Schmerzgrenze hinaus, Roland Bierwirth streichelt stundenlang über die Köpfe seiner Töchter, ohne ein einziges Wort zu sagen, Heyne holt den fehlenden Schlaf nach – und Johanna weint sich bei Helene aus.

Der Mond steht groß und rund über der Stadt. Die Welt

schlummert friedlich dem Morgen entgegen. Auf dem Parkplatz des Polizeigebäudes verzehrt sich ein graugetigerter Kater voller Sehnsucht nach einer Siamkatze mit blauleuchtenden Augen, sein klagendes Schreien ist das einzige Geräusch, das die Nachtruhe stört. Johanna träumt von Kindern, die um Hilfe schreien wollen und dennoch keinen Ton hervorbringen. Kinder hinter Panzerglas. Und Johanna steht auf der anderen Seite. Sie kann nichts tun, nur hilflos gegen die Scheiben hämmern, bis ihre wunden Knöchel bluten.

Freitag

Seit vier Stunden sitzt Christine Peschel in ihrem BMW, ihre Klimaanlage tötet lautlos die Hitze, die ins Wageninnere vordringen möchte. Christine Peschel ist unterwegs nach Italien, um die sterblichen Überreste ihres Sohnes heimzuholen. Zur Identifizierung hat das Feuer nur eine Goldkette, eine Gürtelschnalle und einen Ring übriggelassen, und selbst das Metall hat sich unter der Hitze verformt.

Vera Feldmann liest in der Zeitung, daß eine gewisse F. B. den Mord an von Strack gestanden hat. Nach ihren Worten hat er sie jahrelang sexuell mißbraucht. Als ihr Mann Dieter endlich fort ist, zur Arbeit gegangen mit all seinen Na-siehst-du, Ich-hab's-ja-gewußt und Gott sei Dank, atmet sie erleichtert auf. Ganz allein, nimmt sie den Bericht Wort für Wort in sich auf. Die Vermutungen der Polizei stimmten also, Melanie war nicht die einzige, an der er sich vergangen hat. Und zu guter Letzt hat sich eines seiner Opfer gegen den Täter erhoben. Hat für sich und alle anderen Mädchen zugestochen. Und man muß wohl zugeben, daß diese Frau genau das gleiche Anrecht auf Rache hatte, wie Vera selbst. Es ist, als würde die Zeit umspringen. Von düsterer Winterzeit auf freundlichere Sommerzeit. Zum ersten Mal seit Wochen nimmt sie wieder ihre Umgebung wahr. Draußen scheint ja die Sonne, der Himmel strahlt zum Küchenfenster herein. Ihr Herz geht auf wie eine Knospe, deren Blütenblätter sich zögernd entfalten. Am Ende des schwarzen Tunnels leuchtet ja doch noch ein schwaches Licht. Ein

Funke Hoffnung. Vera Feldmanns Welt dreht sich wieder, wenn auch vorerst noch sehr langsam.

Die Fenster müssen geputzt werden. Wann hat sie eigentlich zuletzt die Betten bezogen? Nachher wird sie einen Kuchen backen, einen Apfelkuchen mit Zimtstreuseln. Den mochte Melanie immer am liebsten. Diesmal befreien die Tränen, so als würden sie Verbitterung und Haß aus ihrem Körper schwemmen.

Greta Wollien steht am Fließband. Ihre schlanken Finger bauen Hochhäuser. Greta pfeift fröhlich, und ihre Kolleginnen schauen verwundert hoch. Auch Greta hat Zeitung gelesen. F. B. Felicitas Bötticher also. Der hätte sie den Mord nun am wenigsten zugetraut. Aber eigentlich ist es ihr einerlei, wer den von Strack um die Ecke gebracht hat. Hauptsache, sie selbst war es nicht – und davon darf sie jetzt ja zum Glück ausgehen. Heute abend wird sie sich einen Kinobesuch gönnen. Ein Liebesfilm muß es sein, einer, bei dem man sich nach Herzenslust ausheulen kann. Genau danach steht ihr der Sinn.

Emmi Färber ruft ihren Sohn in Berlin an.

»Stell dir vor, eine gewisse F.B. hat den Mord gestanden. Ist das nicht wunderbar, mein Junge?« flötet sie erleichtert ins Telefon.

Diethelm Färber legt einfach auf. Das kindische Geplapper seiner Mutter ist ihm jetzt unerträglich. Felicitas hat den Mord gestanden. Ausgerechnet Felicitas.

Als die Kinder untergebracht sind, zwei in der Schule und einer im Kindergarten, kocht Katja Starkowski sich einen starken Kaffee. Diese Stunde gehört ihr allein. Einfach nur am Küchentisch sitzen, frühstücken und Zeitung lesen, ganz in Ruhe. Ohne Geplapper und Gequengel. Manchmal kann sie es kaum erwarten, daß Florian endlich Richtung Kindergarten davonstapft. Tschüs, Mutti, bis heute mittag! Was gibt es zu essen? will er meistens noch wissen. Heute hat sie ihm Pfannkuchen mit Erdbeersauce versprochen. Sein rundes Gesicht hat vor lauter Freude so gestrahlt, daß ihr ganz warm davon wurde.

Beim Anblick der Schlagzeile fällt ihr die Tasse aus der Hand. Felicits Bötticher hat den Mord gestanden. Um Gottes willen!

Die Kirchturmuhr schlägt gerade elf, als die vier ständigen Mitarbeiter des Ersten Kommissariats eine Flasche Sekt entkorken. Es gilt, den Doppelerfolg zu begießen.

»Ganz schön starker Einstieg«, lobt Heyne seine neue Mitarbeiterin. »Mein erster Fall ist niemals aufgeklärt worden. Auf weiterhin so fruchtbare Zusammenarbeit.« Leise klirren Sektgläser aneinander. Cora Samcke nickt verkrampft. Hinter ihr liegt eine tränenfeuchte Nacht. Nach unzähligen naßgeweinten Taschentüchern hat sie sich eingestanden, daß Heyne auch ohne diese Johanna Lauritz niemals ihre Träume erfüllt hätte. Und dennoch, diese Niederlage wird sie der Lauritz nie im Leben verzeihen.

Es klopft leise.

»Herein.«

Katja Starkowski ist gekommen, um endlich die Wahrheit zu sagen.

An jenem Abend hatten alle viel getrunken. Zuviel. Manche, um zu vergessen, andere, um in Stimmung zu kommen. Es herrschte sehr bald eine lockere, ausgelassene Atmosphäre, zu der jeder mit seiner guten Laune beitrug. Begeistert wurde zu der Musik von damals getanzt. Die Bässe, die dumpf aus der billigen Anlage dröhnten, hämmerten die letzten zehn Jahre aus ihren Köpfen. Waren sie nicht immer noch unendlich jung, standen sie nicht immer noch ganz am Anfang des Lebens, war da nicht noch Platz genug für alle Abenteuer dieser Welt? Die Sorgen des Alltags, unbezahlte Hypotheken, Eheprobleme, Arbeitslosigkeit, überzogene Konten, all das tagtägliche Einerlei, das zum Erwachsensein dazugehörte, zertraten sie unter ihren stampfenden Füßen. Was hatte sich denn überhaupt seit damals geändert? Waren sie selbst nicht genau dieselben geblieben?

Gegen Morgen löste sich die Gesellschaft nach und nach auf. Zuerst verabschiedeten sich die Lehrer. Bis auf von Strack. Dann gingen die ehemaligen Schüler, in kleinen Gruppen, manche auch allein. Gegen vier Uhr morgens waren noch fünf Leute anwesend. Und Frank Görlitz, der Inhaber, samt seiner Lebensgefährtin, die zu dieser Stunde bereits ihren Platz hinter der Theke verlassen hatten und an einem der hinteren Tische vor sich hindösten. Von ihren Gästen nahmen sie kaum noch Notiz. Wer etwas trinken wollte, mußte schon sehr energisch werden.

Von Strack, Greta Wollien, Diethelm Färber, Katja Starkowski und Felicitas Bötticher saßen plötzlich gemeinsam an einem Tisch. Die Stimmung kippte, eine Hölle tat sich auf. Diethelm Färber, der den ganzen Abend behauptet hatte, Diplompsychologe zu sein, wurde von seinem ehemaligen Lehrer mit ein paar gehässigen Bemerkungen als Lügner demaskiert. Er kroch förmlich in sein Bier, schamerfüllt, mit hochroten Wangen und zittrigen Fingern. Kein Wort des Widerstandes. Genau wie damals. Wenn von Strack ihn wegen seiner mangelnden Mathematikfähigkeiten bloßgestellt hatte.

Felicitas Bötticher, die noch nicht viel gesagt hatte, erstarrte beim Klang von Stracks Stimme zu einer Salzsäule. Und Greta Wollien, die wohl am meisten von allen getrunken hatte und deren Bluse allen zeigte, wie schön sie immer noch war, deren glasige Augen jeden um ein wenig Zuneigung anflehten, Greta beteuerte ständig, daß trotzdem was aus ihr geworden sei. *Trotzdem,* damit meinte sie von Strack, und jeder am Tisch wußte Bescheid. Und Katja saß als Puffer zwischen den Fronten. Sie hatte den Lehrer nie gemocht, kannte die Gerüchte um seine seltsamen Vorlieben, doch sie selbst hatte keine alte Rechnung zu begleichen. Urplötzlich wurde von Strack, der selbst so betrunken war, daß er sich kaum noch klar artikulieren konnte, zudringlich. Ausgerechnet bei Felicitas. Er griff ihr mit gespreizten Fingern von hinten an beide Brüste und lachte dreckig. Hast ja doch noch 'ne anständige Figur gekriegt! Tun Sie das nie wieder. Nie wieder! Fassen Sie mich nie wieder mit Ihren ekligen Lehrerfingern an! Ein Aufschrei. Und da wußten alle Bescheid. Das von Greta hatte damals jeder mitgekriegt, jeder wußte es, sogar manche Eltern. Aber Felicitas. Ein Mädchen aus gutbürgerlichen Verhältnissen. Eine, die auf der richtigen Straßenseite geboren war, der man keine Herkunft vorwerfen konnte. Daß er auch Felicitas mißbraucht hatte, wußte niemand. Erschrockene Stille lähmte die kleine Runde, wenigstens für einen kurzen Moment. Dann lachte von Strack laut auf. Na, dann nicht. Warst ja schon immer so zickig. Felicitas begann haltlos zu schluchzen, suchte Schutz in Katja Starkowskis weichen Armen. Diethelm Färber jammerte leise in sein Bier. Sie Schwein, Sie mieses Schwein. Und wagte dabei nicht aufzusehen, dieser Feigling. Dann startete von Strack einen Großangriff auf Greta. Na komm, Mädchen, weiß doch jeder hier, daß du für ein paar Scheine die Beine breitmachst. In meiner Brieftasche sind fünf nagelneue Hunderter. Was meinst du, willst du sie dir in der Küche verdienen? Du kennst doch meinen Geschmack. Und Gretas Gesicht leuchtete auf, als hätte man ihr ein Geschenk gemacht. Fünfhundert Mark. Einverstanden. Aus mir ist nämlich was geworden … Grinsend erhob er sich vom Tisch. Bis gleich, meine Süße. Und er marschierte siegessicher in die Küche, die die Wirtsleute von ihrem Platz aus nicht sehen konnten. Sie mußten, falls sie überhaupt etwas davon mitbekamen, annehmen, daß er zur Toilette ging.

Drei Menschen redeten auf Greta ein. Spinnst du, bist du wahnsinnig, wie kannst du dich so erniedrigen. Doch sie brauchten Greta gar nicht zu überzeugen. Urplötzlich sackte ihr Kopf auf den Tisch, und sie begann laut zu schnarchen. Schadenfrohes Gelächter. Torkelnd stand Diethelm Färber auf. Ich werd' ihm Bescheid sagen, daß seine Verabredung geplatzt ist. Und wieder hysterisches Gelächter bei der Vorstellung, daß von Strack kleinlaut zurückkommen mußte. Daß er seine fünf Hunderter wieder einstecken konnte. Genau wie seinen Schwanz. Doch er sollte die Küche des »Grauen Esels« nicht mehr lebend verlassen.

Als Diethelm Färber so aufrecht wie möglich in die Küche trat, um seinem Erzfeind dessen Niederlage unter die Nase zu reiben, stand dieser mit bereits geöffneter Hose seitlich an den Tisch gelehnt. Seine Hände arbeiteten eifrig an einer Erektion. Mit geschlossenen Augen säuselte er: »Na, komm schon, Greta, jetzt bist du ja erwachsen. Für fünf Blaue erwarte ich schon einiges.«

Und plötzlich lag da das Messer auf dem Tisch. Ein großer Schritt, ein blitzschneller Angriff – von Strack sackte lautlos in sich zusammen.

Minutenlang war Diethelm Färber wie gelähmt. Er konnte nichts anderes tun, als den verhaßten Lehrer anstarren. Irgendwann fielen ihm seine medizinischen Kenntnisse wieder ein. Mit großer Anstrengung gelang es ihm, den schlaffen Körper auf den Rücken zu drehen. Aufgeregt tastete er nach den Vitalfunktionen. Nichts. Kein Puls, keine Atmung, maximal geweitete Pupillen. Das Messer steckte im Brustkorb, rings um die Einstichstelle färbte sich das Hemd ein wenig rot. Warum blutete das alte Schwein nicht anständig? Färber wandte sich wortlos ab und verließ den Raum.

»Na, was ist?« wollte Katja wissen. Felicitas bemühte sich nach wie vor um Greta, natürlich vergeblich. Greta schlummerte in tiefster Alkoholnarkose.

Ein paarmal atmete Diethelm Färber übertrieben tief durch, als wolle er autogenes Training betreiben, dann beugte er sich vor und raunte den beiden Frauen zu:

»Ich habe ihn erstochen. Der ist tot. Ehrlich. Liegt mausetot da drinnen. Mit offener Hose.« Die Worte endeten in einem meckernden Gekicher, er mußte sogar die Hand auf den Mund pressen, um nicht lauthals loszuprusten.

Die beiden Frauen schauten wie auf ein geheimes Kommando zu den Wirtsleuten hinüber, doch die dösten mit halbgeschlossenen Augen vor sich hin. Ab und zu fiel der Kopf des Mannes mit heftigen Ruck nach vorn, er zuckte jedesmal zusammen und riß für ein paar Minuten angestrengt seine Augen auf. Das Geschehen am Tisch der letzten Gäste nahm er nicht weiter zur Kenntnis. Er war viel zu sehr damit beschäftigt, die Grenze zwischen Traum und Wachsein auszutarieren.

Irgendwie war sofort klar, daß Diethelm die Wahrheit sagte. Weder Katja Starkowski noch Felicitas Bötticher zweifelten auch nur eine einzige Sekunde daran. Von Strack war tot.

»Das will ich sehen.« Felicitas sprang auf und rannte in die Küche.

Ihr Peiniger lag auf dem Boden, ein Messergriff ragte aus seiner Brust. Die Waffe mußte wie ein Flaschenkorken wirken, jedenfalls trat kaum Blut aus der Wunde.

In ihrem Kopf überschlugen sich die Gedanken. Was, wenn niemand erfahren würde, weshalb von Strack sterben mußte? Wenn man das miese Schwein demnächst feierlich als Ehrenmann begraben würde? O nein! Tausendmal nein!

Der Mord an dieser Schülerin fiel ihr ein. Die besuchte doch auch die Realschule. Wenn einer als Täter in Frage kam, dann ja wohl Hilmar von Strack. Und die Allgemeinheit sollte erfahren, was mit dem los war.

Da nicht genug Blut da war, kramte sie ihren roten Lippenstift aus der Tasche und schrieb mit ungelenken Buchstaben: *Rache für M. und alle davor!* quer über die Wand.

Danach getaner Arbeit verließ sie mit zufriedenem Gesicht die Küche, um den anderen von ihrer Tat zu erzählen. In wahnwitzigem Leichtsinn orderten sie beim Wirt noch ein letztes Bier – und sie mußten sehr laut werden, um ihn aus seinem Dämmerzustand zu holen. Als er die Getränke auf den Tisch knallte, brummte er unwillig, daß danach endgültig Schluß sei.

Auch Katja Starkowski wollte sich persönlich von dem Mord überzeugen. Und da auch sie mit dazugehörte, was immer das eigentlich bedeuten sollte, mußte auch sie etwas tun. Mit zitternden Fingern zog sie das Messer aus dem Körper. Ganz langsam. Träge sickerte rotes Blut aus der Wunde. Dann trennte sie ihm kurzerhand sein Glied ab, das so traurig und leblos aus dem Hosenschlitz schaute, und legte es in von Stracks rechte Hand. Beinahe erschrak sie darüber, wie leicht das Messer das Gewebe durchtrennte. Es mußte höllisch scharf sein. Mit einem Geschirrtuch reinigte sie sehr sorgfältig den Griff. So, nun gehörte sie auch mit zum Club derer, die der Welt einen großen Dienst erwiesen, indem sie einen Kinderschänder unschädlich gemacht hatten.

Drei Helden. Drei, die das Schicksal in die objektiv richtige Bahn gezwungen hatten. Erst am nächsten Morgen erschraken sie über ihr blutiges Werk. Als es längst zu spät war, etwas zu ändern. Man hatte hoch und heilig Stillschweigen geschworen. Es gab keine Beweise. Sicher, man würde sie verdächtigen, jeden einzelnen von ihnen, doch es gab keine Beweise, solange jeder schwieg. Man war einander auf Gedeih und Verderb ausgeliefert.

Und Greta verschlief die Gelegenheit, eine Mörderin zu werden. Oder eine Mitwisserin. Oder auch nur fünfhundert Mark.

»Ich weiß beim besten Willen nicht, weshalb Felicitas einen Mord gesteht, den sie gar nicht begangen hat. Aber unter diesen Umständen kann ich nicht länger schweigen«, schließt Katja Starkowski.

Hauptkommissar Heyne ruft in Berlin an und läßt Diethelm Färber verhaften.

Gegen sechzehn Uhr sind alle notwendigen Papiere unterzeichnet. Dr. Holger Bötticher holt seine Frau aus dem Untersuchungsgefängnis ab.

Man sieht ihm deutlich an, daß er in der letzten Nacht kaum geschlafen hat, er wirkt nervös und übernächtigt, und doch liegt ein Ausdruck in seinen Augen, der nichts mit Genugtuung oder Selbstzufriedenheit zu tun hat, sondern nur mit purer Liebe.

Und sie? Mehr denn je erinnert sie an eine Madonna, als sie mit unglaublicher Gelassenheit, das Gesicht zu einem wehmütigen Lächeln verklärt, auf die wartenden Menschen zugeht. Heynes Herz trommelt ein lautstarkes Stakkato. In seinem Kopf spielen sich bizarre Dinge ab. Dort läßt Felicitas ihren Gatten einfach stehen, um mit dem Hauptkommissar zusammen endlich Felicitas die Glückliche zu werden. In Wahrheit hat sie für ihn und Johanna nur ein angedeutetes Nicken übrig. Alles andere gilt ihrem Ehemann. Jeder Blick, jedes Lächeln, jedes Wort. In diesem Moment scheint es, als könnten sie zueinanderfinden, als trügen sie genug Gefühle in sich, um die Vergangenheit zu überwinden. Gut möglich, daß er sie mit seiner Fürsorge schon bald wieder in eine Art Dauerstarre treibt, gut möglich, daß sie sich nicht mehr bevormunden läßt und daß er mit dieser neuen Felicitas nicht zurechtkommt, doch jetzt und hier sind ihnen alle Wege offen. Weshalb dieses Geständnis? Sie wollte sich von der Vergangenheit befreien, endgültig, sie hatte sich in den Wahn gesteigert, Diethelm Färber um seine Tat zu beneiden. Sie wollte einmal, ein einziges Mal im Leben mutig sein. Und sie wollte Mann und Kind vor einem unbewiesenen Verdacht schützen. Ein sauberer Schnitt, so war ihr das falsche Geständnis vorgekommen.

Die beiden fahren davon, und Heyne schaut ihnen nach wie ein geprügelter, ausgesetzter Hund. Beinahe könnte er einem leid tun.

Johanna hat kaum die Haustür aufgeschlossen, da öffnet sich bereits die Tür zur unteren Wohnung, und eine strahlende Lea Brenning fällt ihr überschwenglich in die Arme.

»Meine liebe Johanna, ich bin froh, wieder daheim zu sein. Es war schrecklich!« Und das letzte Wort zieht sie genüßlich in die Länge.

Johanna lacht schadenfroh. »Das haben Sie auch gar nicht besser verdient. Habe ich nicht gleich gesagt, daß Sie nichts zwischen diesen alten Leuten verloren haben?«

»Sie Schmeichlerin! Wie braun Sie geworden sind«, Lea strahlt, »da hätte ich mir diese Reise ja wirklich sparen können. Und so ein hübscher Rock. Ist der neu?«

Sie selbst ist unvorteilhaft wie gewöhnlich gekleidet, trägt ein enges, hellgelbes Kleid mit weißen Spitzenbesätzen, das in Kniehöhe endet und zuviel von ihren rosa-fleischigen Beinen sehen läßt. Aus irgendwelchen unklärlichen Gründen liebt sie zuckersüße Pastellfarben über alles, auch Rüschen und Spitzen und altmodische Jabots finden ihren uneingeschränkten Beifall. Klein ist sie, etwas korpulent, und von der Natur mit einem überaus mächtigem Busen gesegnet. Liebe kleine Lea. Niemals scheint sie Argwohn gegen irgendeinen Menschen zu hegen, böse Worte sind ihr fremd, stets liegt ein sanftes Lächeln auf ihrem Gesicht. Hier, in ihrem Haus, in ihrer Küche, in ihren albernen Jungmädchenkleidern erweckt sie immer den Anschein, als wäre sie der Welt draußen nicht so recht gewachsen. Doch seltsam, kaum streift sie ihre Schwesterntracht über und ihre unordentliche Frisur verschwindet unter der akkurat gefalteten Schwesternhaube, verwandelt sie sich in eine völlig andere. Auf einmal ist sie Schwester Lea, berufserfahren, kompetent und sehr selbstsicher. Keine Farbe steht ihr so gut wie frischgestärktes Weiß, kein Schnitt paßt so gut zu ihrer molligen Figur wie der schlichte, durchgeknöpfte Schwesternkittel. Nach sechsunddreißig Dienstjahren hat sie wohl verlernt, Privatmensch zu sein; welche Kleider auch immer sie sich kauft, Lea Brenning wirkt darin wie verkleidet.

Es ist einfach nur schön, daß Lea wieder da ist. Das Haus duftet nach frischgekochtem Kaffee, Kuchen hat sie auch schon beim Bäcker geholt, zwei Stückchen Sahnetorte und zweimal Bienenstich, genau wie immer, auf der Terrasse wartet ein sorgfältig gedeckter Tisch. Johanna läßt sich aufatmend ins freie Wochenende fallen.

»Hier ist in der Zwischenzeit auch einiges passiert. Sie haben tatsächlich zwei Morde verpaßt«, erzählt sie eine ganze Weile später, nachdem sie Leas Reisebekanntschaften einschließlich aller Krankengeschichten bereits so gut kennt, daß sie sie höchstwahrscheinlich auf der Straße erkennen würde. Lea ist eine begnadete Erzählerin, sie kann stundenlang reden, ohne Punkt und ohne Komma.

»Ja, ich hab' gerade angefangen, die Zeitungen durchzublättern. Ist natürlich kompletter Unsinn, was da steht.«

»Was???« Ungläubig reißt Johanna ihre Augen auf.

Lea Brenning schüttelt nachsichtig den Kopf. »Na ja, die Sache mit dem von Strack, meine ich. Wundert mich, daß mein Exmann nicht gleich stutzig geworden ist. Aber der ist ja manchmal zerstreut wie ein alter Professor. Der von Strack konnte doch gar keine Kinder zeugen. Das war doch gerade das große Elend seiner Ehe.«

Für einen Moment hat Johanna das Gefühl, keine Luft zu bekommen. Wieso sollte Lydia von Strack die Kripo bewußt angelogen haben? Das ergibt doch überhaupt keinen Sinn …

»Das wird Frau von Strack doch wohl längst ausgesagt haben. Ihr Mann war absolut zeugungsunfähig. Es muß etwa fünfzehn Jahre her sein, da hat sie ihn von einem Arzt zum anderen geschickt. Das Ergebnis war überall gleich. Da war nichts zu machen. An die Ursache kann ich mich gar nicht mehr erinnern. War es Mumps im Kindesalter …«

»Stimmt das wirklich?« japst Johanna.

Lea Brenning nickt ernsthaft. »Selbstverständlich. Eine Durchschrift der Befunde muß in der Praxis meines Mannes noch abgelegt sein.«

»Dann war er also nicht Vater des Kindes. Und damit höchstwahrscheinlich auch nicht Melanies Mörder!« Johanna hat das verdammte Gefühl, den Boden unter den Füßen zu verlieren. Offenbar ist die Erde überhaupt keine Kugel, sondern statt dessen eine flache Scheibe, die sich genau in diesem Augenblick gefährlich zur Seite neigt. Alles kommt ins Rutschen, wirklich alles.

Nur Lea nicht. Die merkt nicht einmal, daß sie soeben Johannas Weltordnung gekippt hat, sie plappert munter weiter, während sie den Tisch abräumt.

»Die Sache mit Melanie Feldmann ist natürlich eine Tragödie. Ihre Mutter ist sicherlich vollkommen am Ende, ich
werde da nachher mal anrufen. Die Frau Feldmann kenne
ich nämlich recht gut. Ihren Mann übrigens auch, von
früher, als ich in der Praxis meines Mannes mitgearbeitet
habe. Der fährt, wenn mich nicht alles täuscht, Waren aus.
Für das Kaufhaus Lehmeier und Stenzel. Ist den ganzen Tag
unterwegs. So haben die beiden sich auch kennengelernt.
Der hat ihr mal irgendwas geliefert. Die beiden sind noch
gar nicht so lange verheiratet. Das Kind hat er adoptiert.
Fünf Jahre könnte das her sein, vielleicht auch schon sechs.
Soll ich uns noch Kaffee kochen?«

Stummes Kopfschütteln.

»Gut, soll ich ein Likörchen einschenken? Nein? Vielleicht
später. Es ist ja auch viel zu heiß. Sie haben völlig recht. Gut,
daß wenigstens einer von uns vernünftig ist. ...wo war ich
stehengeblieben? Ach ja, die Feldmanns. Ob sie mit dem
glücklich ist ..., ich persönlich finde ihn ja sterbenslangwei-
lig. Aber sie war wohl froh, daß einer sie mit dem Kind
genommen hat. Frau Feldmann mag ich sehr gern. Mein
Gott, die arme Frau. Wir haben bis vor ein paar Wochen
gemeinsam einen Kurs der Volkhochschule besucht. Tif-
fanyglaskunst, Sie wissen doch. Na ja, ich bin zugegebenermaßen nicht so künstlerisch begabt, ich habe mich auf
Ohrringe und Kettenanhänger beschränkt. Frau Feldmann
dagegen hat eine wunderbare Lampe geschaffen, in Grün
und Blau, einfach traumhaft ...«

»Die Lampe kenne ich. Sie hängt über dem Tisch.« Die
verirrte Prinzessin ...

»Ja, die Lampe ist wirklich wunderschön geworden«, redet
Lea Brenning unbeirrt weiter. Plötzlich stutzt sie.

»Seltsam. Mir fällt gerade ein, daß Melanie die Lampe
überhaupt nicht mochte. Sie hat angeblich zu ihrer Mutter

gesagt, daß die Lampe unheimliches Licht verbreitet, daß sie Unglück bringt. Sie wollte nicht, daß Frau Feldmann weiterhin den Kurs besucht. An jedem Donnerstag hätte sie gebettelt, daß ihre Mutter zu Hause bleibt. Komisch für ein fünfzehnjähriges Mädchen, was?«

Urplötzlich steht Johanna senkrecht. »Donnerstag? Der Kurs lief immer donnerstags?« vergewissert sie sich noch einmal im Davonlaufen.

»Ja, aber weshalb ist das wichtig?« ruft die völlig verdatterte Lea hinterher.

Die Haustür knallt ins Schloß, ein Motor heult auf. Bis zu Heynes Privatwohnung fährt man mit überhöhter Geschwindigkeit und über zwei hellrote Ampeln genau sieben Minuten.

Vera Feldmann stellt gerade den Apfelkuchen auf den Tisch, er ist noch lauwarm.

»Ausgerechnet Mellis Lieblingskuchen. Mußte das sein?« Ärgerlich legt ihr Mann die Tageszeitung beiseite.

»*Du* sagst doch immer, das Leben muß weitergehen«, verteidigt sie sich schnippisch. »Melli hätte bestimmt nicht gewollt, daß wir nie wieder diesen Kuchen essen.«

Melli ist jetzt glücklich im Himmel, denkt sie dabei. Jetzt, wo ihr Mörder tot ist.

Es klingelt. Die Kripo. Was wollen die denn noch?

Der Hauptkommissar redet zuerst. »Frau Feldmann, ist Ihr Mann auch da? Dürfen wir reinkommen?«

Im Wohnzimmer nehmen sie Platz. Die Lampe färbt die Tischdecke grün.

»Zunächst möchte ich Sie davon in Kenntnis setzen, daß nach dem neuesten Stand der Dinge Herr von Strack Ihre Tochter Melanie nicht geschwängert haben kann. Herr von Strack war nämlich absolut zeugungsunfähig.«

Vera Feldmann stellt ruckartig die Kaffeetasse ab, ihr Mann Dieter nestelt nervös an den Knöpfen seines Hemdes herum.

»Sie haben eine wunderschöne Lampe«, sagt Johanna unvermittelt. Und gerade, als Vera Feldmann etwas erwidern will, fährt sie fort: »Stimmt es, daß Ihre Tochter die Lampe nicht mochte?«

»Ja, aber was hat das mit …«

»Stimmt es, daß Melanie gesagt hat, die Lampe würde Unglück bringen? Stimmt es auch, daß Sie an jedem Donnerstag von zwanzig bis zweiundzwanzig Uhr einen Tiffanykurs bei der Volkshochschule besucht haben?«

Donnerstag. Der weinende Donnerstag. Auf einmal ist alles so logisch, so selbstverständlich, warum ist man nicht viel eher darauf gekommen?

Noch ehe jemand reagieren kann, springt Vera Feldmann auf, stürzt sich auf ihren Mann und schlägt blindlings auf ihn ein.

»Du warst es! Du hast ihr das angetan! Deshalb wurde sie immer stiller! Deshalb hatte sie kaum noch Appetit. Deshalb wollte sie nicht, daß ich abends fortgehe! Sie hatte Angst vor dir! Ich verfluche dich! Ich wünschte, du würdest jämmerlich krepieren!«

Er läßt ihr Gekreische, ihre Schläge mit spöttschem Grinsen über sich ergehen.

»Du verstehst gar nichts. Du weißt gar nicht, was zwischen uns war. Glaub ja nicht, daß sie es nicht auch gewollt hat. Und wie wild sie darauf war!« schleudert er ihr verächtlich entgegen, wohlwissend, daß sie dem nichts entgegensetzen kann. »Melanie und ich, wir haben uns wahnsinnig geliebt. Aber davon verstehst du ja überhaupt nichts. Ohne diese Schwangerschaft hätte es nie zwischen uns aufgehört. Nie. Und hätten wir nicht so beschissene Gesetze,

dann hätte ich sie auch nicht umbringen müssen. Aber
so …«

Für einen kurzen Moment möchte Johanna ihre Dienstwaffe aus der Tasche reißen und Dieter Feldmann einfach über den Haufen knallen, ihm das widerwärtige Grinsen aus dem Gesicht schießen.

Lydia von Strack wird auf die Frage, weshalb sie die Zeugungsunfähigkeit ihres Mannes verschwiegen hat, mit den Achseln zucken. Weil ich nicht wollte, daß er durch seinen Tod von allen Sünden freigesprochen wird. Er sollte nicht als Ehrenmann begraben werden. Das war schon alles. So wenig Grund für solch eine folgenschwere Lüge.

Für Dieter Feldmann gibt es keine mildernden Umstände. Er muß seine Tat voll verbüßen. Lebenslänglich.

Nicht so Diethelm Färber. Totschlag unter Alkoholeinfluß. Seine Mutter wird ihn bis ins Gefängnis verfolgen. Mit Briefen, mit Besuchen, mit selbstgebackenem Kuchen. Nach Ende der Haftstrafe wird sie ihn vor dem Gefängnisportal erwarten. Mit roten Nelken. Und sie wird von Rouladen und Rotkohl schwärmen, und er wird sich fragen, weshalb er eigentlich von Strack und nicht sie erstochen hat.